ВДОХНОВЛЯЯ НОВОЕ ПОКОЛЕНИЕ ФУТБОЛИСТОВ

INSPIRING A NEW GENERATION OF FOOTBALLERS

RU Чемпионат мира по футболу FIFA™ — вершина футбола, на кону – ни с чем не сравнимая слава.

Лишь раз в четыре года нам представляется шанс увидеть, как лучшие команды планеты состязаются друг с другом, и каждая нация надеется, что именно ее сборная станет «золотой».

Семь матчей на пути к трофею дают этим командам уникальную возможность показать, насколько они хороши, и вписать свои имена в историю футбола.

Но речь не только о победах. Чемпионат мира FIFA - это торжество коллективных и индивидуальных талантов и усилий, праздник спорта, культуры и единения. Мы помним составы победителей прошлых Чемпионатов мира FIFA, не забываем и тех, кто, показывая красивый футбол, пробудил в нас страсть к этой игре.

Мы в FIFA хотим убедиться, что игра не заканчивается с финальным свистком Чемпионата мира. Новое поколение, вдохновленное показанным в России футболом, должно получить возможность развивать свои таланты. Благодаря финансовой поддержке Программы развития FIFA каждая национальная ассоциация получает все больше возможностей для воспитания новых поколений девчонок и мальчишек, которые, как мы надеемся, однажды смогут проявить себя на высшем уровне мирового футбола.

Не только у победителей, поднимающих над головой Кубок Чемпионата мира FIFA, но и у каждого из нас в футболе своя роль: мы играем, тренируем, организуем и поддерживаем - и мы все живем футболом.

Насладитесь этим представлением!

Джанни Инфантино
Президент FIFA

EN The FIFA World Cup™ is the pinnacle of competitive football, where true glory is at stake.

Only once every four years do we get the chance to see the world's best teams competing against each other, nations hoping that theirs will be a golden generation.

The run of seven matches to lift the trophy is a unique opportunity for those teams to showcase their greatness and engrave their names in football history.

And it is not only about winning. The FIFA World Cup is a celebration of our sport, of collective and individual talent and endeavour, of culture and community. Just as we can recall the line-ups of the winners of FIFA World Cups gone by, we also reminisce about the teams that have ignited our passion for the game by giving their all while entertaining us on the pitch.

But at FIFA, we also want to make sure that the game does not end at the final whistle of the FIFA World Cup. New generations inspired by the football on display here in Russia must be able to find a way to develop their talents. Through the funds of the FIFA Forward Development Programme, each member association is increasingly equipped to bring new generations of girls and boys through to hopefully make it, one day, to compete on the highest stage in world football.

Beyond the winners who lift the FIFA World Cup Trophy, we all have a role to play in this sport: whether playing, coaching, organising or supporting, we are all living football.

Enjoy the show!

Gianni Infantino
FIFA President

МЫ ВЛОЖИЛИ ДУШУ В ПОДГОТОВКУ ЧЕМПИОНАТА МИРА ПО ФУТБОЛУ FIFA™

WE PUT OUR HEART AND SOUL INTO THIS FIFA WORLD CUP™

RU **Дорогие болельщики!**

С радостью и гордостью приветствуем вас на Чемпионате мира по футболу FIFA 2018™!

Возможность принять у себя главный футбольный турнир планеты многие десятилетия была большой и желанной мечтой для миллионов поклонников этой великой игры в России. Наша страна, подарившая миру многих виртуозных футбольных мастеров, включая величайшего вратаря XX века Льва Яшина, наконец готова пригласить весь мир – впервые Чемпионат мира приходит в Восточную Европу, на территорию самой большой страны на Земле.

Позади годы усердной работы, результатом которой стали 12 новых современных стадионов и обновленная инфраструктура – от отелей до аэропортов и новых станций метро. Мы вложили в подготовку к Чемпионату мира нашу душу, чтобы вы могли получить максимум удовольствия. Впервые обладатели билетов из-за рубежа могут попасть в страну проведения турнира без визы – для этого лишь нужно оформить Fan ID. Впервые для всех обладателей билетов предоставлено право бесплатного проезда между городами-организаторами на специальных поездах и на выделенных шаттлах внутри городов.

Мы надеемся, что Чемпионат мира в России станет для вас путешествием, полным ярких впечатлений и удивительных открытий, которые запомнятся на всю жизнь!

С пожеланиями хорошего настроения и красивой игры

Алексей Сорокин
Генеральный директор Оргкомитета «Россия-2018»

EN **Dear fans,**

We are happy and proud to welcome you to the 2018 FIFA World Cup Russia™!

The chance to host the biggest football tournament on the planet was for many decades merely a dream for the millions of followers of this great sport in Russia. Our country, which has given the game numerous sublime players such as the greatest goalkeeper of the 20th century, Lev Yashin, is finally ready to invite everyone to the first World Cup held in Eastern Europe, in the largest country on Earth.

Behind us are years of hard work that have produced 12 new stadiums and modernised infrastructure from hotels to airports and new metro stations. We put our heart and soul into the World Cup preparations, so that you can have maximum enjoyment at the tournament. Ticket holders from outside Russia can enter the country without the need of a visa – all you need to do is apply for a FAN ID. All ticket holders can also travel for free between and inside Host Cities on specially designated trains and shuttle services.

We hope that your journey to the World Cup in Russia will be full of memorable moments and amazing discoveries that will stay with you for the rest of your lives!

Wishing you a wonderful time and fantastic football,

Alexey Sorokin
CEO of the Russia 2018 Local Organising Committee

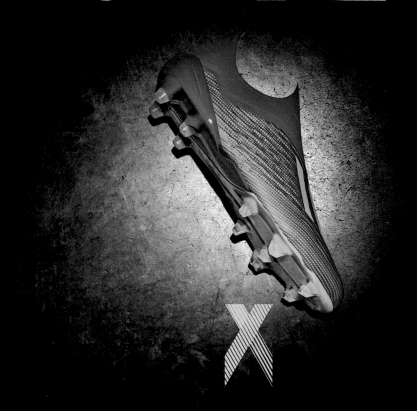

ЧЕМПИОНАТ МИРА ПО ФУТБОЛУ FIFA™ ОБЪЕДИНИТ ВСЮ ПЛАНЕТУ

THE FIFA WORLD CUP™ WILL UNITE THE PLANET

RU Дорогие любители футбола! Друзья!

Мы искренне гордимся тем, что Россия завоевала почетное право впервые принять главный футбольный турнир планеты – Чемпионат мира.

Для нашей страны – это огромная честь и большая ответственность. Восемь лет мы упорно трудились над тем, чтобы Чемпионат мира по футболу FIFA 2018™ прошел на самом высоком уровне, стал настоящим праздником для участников и миллионов болельщиков. Запомнился красивой игрой, вдохновением честной борьбы на поле и яркими эмоциями на трибунах. Оставил уникальное наследие, которое еще долго будет служить людям. Ведь в России футбол – самый популярный вид спорта, пользующийся поистине народной любовью.

Матчи Чемпионата мира по футболу FIFA 2018 будут проходить на разных площадках – в Москве и Санкт-Петербурге, Сочи и Казани, Нижнем Новгороде и Самаре, Ростове-на-Дону и Екатеринбурге, Калининграде, Волгограде и Саранске. Каждый из этих городов уникален и неповторим. А значит, наши гости смогут увидеть всю широту России, познакомиться с ее самобытной культурой и традициями, ощутить гостеприимство и радушие жителей.

Мы сделаем все, чтобы Чемпионат мира по футболу FIFA 2018 стал масштабным и торжественным событием, которое объединит всю планету.

Добро пожаловать в Россию!

В. Путин

EN Dear football fans! Dear friends!

We are extremely proud that Russia has the privilege of hosting world football's greatest tournament for the very first time.

It is a great honour and great responsibility for Russia. Over the past eight years, we've worked hard to make sure all the preparations make for a perfect edition to the FIFA World Cup™, a real festival for the teams and millions of fans. We hope it will be remembered for the stunning performances of the players on show, while inspiring fair play both on the pitch and in the stands when emotions run high. We hope it will leave a unique and lasting legacy here in Russia, with football being our most popular sport.

2018 FIFA World Cup matches will take place at venues in Moscow, St. Petersburg, Sochi, Kazan, Nizhny Novgorod, Samara, Rostov-on-Don, Ekaterinburg, Kaliningrad, Volgograd, and Saransk. Every host city is unique, giving our guests a chance to enjoy Russia's diversity, culture, traditions and embrace the hospitality and warm welcome we have to offer.

We will do everything to make sure the 2018 FIFA World Cup is a grand occasion, that will unite everyone around the world.

Welcome to Russia!

Vladimir Putin

FIFA WORLD CUP
RUSSIA 2018

НАД ИЗДАНИЕМ РАБОТАЛИ

РЕДАКЦИЯ:
Редактор: Рой Гилфойл
Авторы: Крис Бреритон, Доминик Блисс
Дизайнеры: Крис Коллинс, Марк Френсис, Адам Уорд
Особая благодарность: Eventica Communications, adidas, Ивану Потапову

TRINITY MIRROR SPORT MEDIA
Генеральный директор: Стив Ханрахан
Исполнительный арт-директор: Рик Кук
Главный редактор: Пол Доув
Коммерческий директор: Уилл Бидлс
Руководитель отдела маркетинга: Клер Браун

ФОТОГРАФИИ
Getty Images, PA Images

ПРОИЗВЕДЕНО ПО ЛИЦЕНЗИИ:

TRINITY MIRROR SPORT MEDIA

Содержание

FIFA WORLD CUP
RUSSIA 2018

PROGRAMME TEAM

EDITORIAL:
Editor: Roy Gilfoyle
Writers: Chris Brereton, Dominic Bliss
Designers: Chris Collins, Mark Frances, Adam Ward
Special thanks to: Eventica Communications, adidas, Ivan Potapov

TRINITY MIRROR SPORT MEDIA
Managing Director: Steve Hanrahan
Executive Art Editor: Rick Cooke
Executive Editor: Paul Dove
Commercial Director: Will Beedles
Senior Marketing Executive: Claire Brown

PHOTOGRAPHY
Getty Images, PA Images

MANUFACTURED UNDER LICENCE BY:

TRINITY MIRROR SPORT MEDIA

Contents

В центре внимания

Вся прелесть Чемпионата мира FIFA в одном кадре, на котором игроки сборной Германии собрались вокруг драгоценного трофея, чтобы отметить победу над Аргентиной в финале турнира в Бразилии четыре года назад.

Centre of attention

The beauty of the FIFA World Cup™ is summed up both in the wonderful trophy itself, and in the joy on the faces of the German players as they arc around it in celebration after beating the Netherlands in the final four years ago in Brazil.

Brasil
The Final

ПОЛУЧИ ЧАСТИЧКУ ЧЕМПИОНАТА МИРА

#ЧМ2018

НАЙДИ БЛИЖАЙШИЙ МАГАЗИН

Москва	Театральный проезд, 5/1.	Центральный детский магазин на Лубянке	10:00 - 22:00
Санкт-Петербург	Невский пр-т, 35	Универмаг "Большой гостиный двор"	10:00 - 22:00
	Лиговский пр-т, 30А	ТРЦ "Галерея"	10:00 - 23:00
Нижний Новгород	улица Покровская, 82 (пл. Лядова)	Торгово-развлекательный центр "Небо", 1-й этаж	10:00 - 22:00
Ростов-на-Дону	ул. Большая Садовая, 45	Центральный вход в парк отдыха имени Максима Горького	10:00 - 20:00

KERZ
HAKOV

ВОЛШЕБНЫЙ ОПЫТ

ЛЕГЕНДАРНЫЙ ФУТБОЛИСТ АЛЕКСАНДР КЕРЖАКОВ РАССКАЗЫВАЕТ КРИСУ БРЕРЕТОНУ, КАК СИЛЬНО ОН ЖДЕТ МОМЕНТ, КОГДА ВНИМАНИЕ ВСЕГО МИРА БУДЕТ ПРИКОВАНО К РОССИИ

A WONDERFUL EXPERIENCE

FOOTBALL LEGEND ALEKSANDR KERZHAKOV TELLS CHRIS BRERETON HOW MUCH HE'S LOOKING FORWARD TO SEEING RUSSIA IN THE SPOTLIGHT

RU У себя на родине Александр Кержаков — футбольная легенда, и то, что он стал одним из лиц Чемпионата мира по футболу FIFA 2018, россиянин заслужил полностью.

В истории российского футбола найдется немного игроков, которых отличает та же страсть, талант и гордость за страну, как у этого 35-летнего футболиста, который в июле прошлого года завершил профессиональную карьеру. На счету Кержакова участие в двух Чемпионатах мира FIFA и двух чемпионатах Европы, а также свыше 200 голов, в том числе 30 мячей в 91 матче в составе сборной.

Однако, если кто-то и думал, что, повесив бутсы на гвоздь, любимец петербургской публики исчезнет из поля зрения, эти люди ошибались.

В период проведения чемпионата мира FIFA 2018 по всей России будут открыты одиннадцать площадок Фестиваля болельщиков FIFA, на которых поклонники футбола со всего мира смогут смотреть матчи на больших экранах вместе. Площадки примут тысячи гостей. Например, на Воробьевых горах в Москве будут собираться до 25 тысяч болельщиков одновременно, так что Фестиваль болельщиков FIFA определенно стоит того, чтобы его посетить.

Но увидеть своих кумиров посетители смогут не только на экране. Например, Кержаков планирует по ходу проведения турнира посетить сразу несколько площадок, так что болельщикам представится шанс познакомиться с ним лично.

«Для нашей страны большая честь принять Чемпионат мира FIFA 2018, и я убежден, что площадки Фестиваля

EN In his homeland, Aleksandr Kerzhakov is a footballing hero and a national icon and it is only right that he should be one of the public faces of the 2018 FIFA World Cup™.

Having played at two FIFA World Cups and two UEFA EURO tournaments, few players in Russian football history have demonstrated their desire, talent or national pride as much as the 35-year-old, who retired in July 2017 after a playing career that saw him score over 200 goals, including 30 in 91 games for his country.

Yet if Russian football fans thought the Zenit St. Petersburg favourite was likely to slip out of the public consciousness once he had hung up his boots, they were mistaken.

There will be 11 FIFA Fan Fest™ sites scattered across Russia during the 2018 FIFA World Cup, which will allow fans from around the world to come together to watch all the action on big screens. The site at Vorobyovy Gory in Moscow will hold an incredible 40,000 people, and others will also have huge capacity so they will naturally be the place to head to as all the action unfolds.

As well as being able to watch their heroes on giant screens, they might just also find themselves bumping into Kerzhakov himself as he will be making several guest appearances at Fan Fests throughout the tournament.

"It is a great honour for my country to be hosting the FIFA World Cup and I am convinced that the FIFA Fan Fest sites will contribute greatly to the overall experience for the fans," he said.

"All 11 Host Cities have the opportunity to put Russian culture and hospitality in the spotlight and I'm looking forward to

болельщиков FIFA помогут поклонникам футбола по-настоящему прочувствовать атмосферу турнира», – говорит Кержаков.

«Все одиннадцать городов-организаторов смогут показать культуру России и проявить свое гостеприимство, и я с нетерпением жду, когда смогу убедиться в этом лично».

Нет сомнений, что Кержаков предпочел бы выйти на поле и сыграть на Чемпионате мира FIFA 2018, ведь с турниром у него связано немало воспоминаний.

«Первые воспоминания у меня о первенстве 1990 года, - рассказывает Александр. - Мы с семьей были на отдыхе в пансионате под Кингисеппом. Я помню, там была общая комната с телевизором, где всегда было полно людей».

«Мы смотрели футбол все вместе и поддерживали команды - каждый свою. Разумеется, больше всего я запомнил финал между Аргентиной и ФРГ».

Хотя Кержаков — футбольный кумир российских мальчишек и девчонок, есть два игрока, о которых он сам говорит с придыханием.

«Во-первых, это Диего Марадона, - продолжает Кержаков. - Мой отец считал его лучшим игроком на свете и многое о нем рассказывал. Я был слишком мал, чтобы видеть Марадону в игре, но от отца слышал о нем достаточно, чтобы аргентинец стал моим кумиром. Из числа футболистов, которыми я восхищался в юности, без сомнения, выделяется Роналдо. Я был заворожен тем, как он играет».

Уже по тому, как говорит Кержаков, видно, что он сам настолько же страстный болельщик, насколько был страстным игроком. Вспоминая о своих выступлениях на

«Все одиннадцать городов-организаторов смогут показать культуру России и проявить свое гостеприимство, и я с нетерпением жду, когда смогу убедиться в этом лично».

Сборная ФРГ стала чемпионом мира в 1990 году
West Germany were victorious in 1990

"All our 11 Host Cities have the opportunity to put Russian culture and hospitality in the spotlight and I'm looking forward to checking this out for myself."

checking this out for myself."

There is no doubt that Kerzhakov would much rather be out there on the pitch, but he has many memories of FIFA World Cup matches and moments that stand out.

"My first memories are from 1990," he said. "My whole family was on holiday in a country hotel in Kingisepp, where I grew up not far from Saint Petersburg. I remember there was a common room with a television that was filled with people every day.

"We were all watching football together and supporting our favourite teams. Of course, I remember the final best of all from that tournament: Argentina versus West Germany."

Kerzhakov may now be a hero to many young Russian football fans but his own stand-out performers are two players who both shone at the highest level.

"First of all, there is Diego Maradona," he said. "My dad told me loads about him and thought the Argentinian was the best player in the world. I was too young to see Maradona play live, but I heard enough from my dad to consider him my football hero. Out of the players I remember watching before I turned professional, without a doubt the Brazilian, Ronaldo. I was amazed by the way he played."

As is clear from the passion with which he speaks, Kerzhakov is as big a football fan as he was an influential player and his own memories of playing at a FIFA World Cup™ bring the biggest smile of all. In other words, he lived his dream – and the dream of so many people around the globe – when he was selected for the 2002 and 2014 editions of the tournament.

Back in 2002, he had only made his senior Russian debut in March before being picked by Oleg Romantsev for Russia's FIFA 

Александр Кержаков забил гол на Чемпионате мира FIFA 2014
Kerzhakov was on target against Korea Republic at the 2014 FIFA World Cup™

Чемпионате мира FIFA, он не может сдержать улыбку. Сразу видно, что, выступив на турнирах 2002 и 2014 годов, он исполнил свою мечту.

В марте 2002 года Александр дебютировал в составе первой сборной, а уже шесть недель спустя главный тренер Олег Романцев включил его в заявку на Чемпионат мира FIFA в Японии и Корее. Кержаков признает, что сам этого не ожидал.

«У меня осталось два особенно ярких воспоминания», – продолжает он.

«Первое - это наше путешествие на турнир в Японии и Корее, а второе - выход на поле в заключительном матче против Бельгии».

«Разумеется, для 19-летнего парня, который лишь за полтора года до этого стал профессионалом, попасть в заявку на турнир было невероятным событием. Для меня это было, словно сон. Я глазел по сторонам, и все представлялось нереальным и необычным».

«До последнего момента я не мог поверить, что мое имя действительно в списке игроков, которые едут на чемпионат мира, но в конечном итоге это оказалось правдой».

«Я помню, как вышел на замену в матче с Бельгией и отдал голевую передачу, а потом Дмитрий Сычев плакал после финального свистка в проигранном матче. Но теперь я понимаю кое-что из того, что не понимал тогда в 2002 году, — насколько важен Чемпионат

World Cup squad just six weeks later, and he readily admits he was just as surprised as the rest of Russia.

"I have two memories that stick out," he recalls.

"The first was the journey to Japan and Korea Republic, and the second was coming on during our final game against Belgium.

"Obviously, for a 19-year-old who had only been a pro for a year and a half, being selected to go to the World Cup with Russia was unbelievable. It was as if I were in a dream; looking around, everything seemed magical and unusual to me.

"Until the very last moment I couldn't believe my name was on the list of players going to the World Cup, but in the end, it turned out to be true.

"I remember coming off the bench against Belgium, popping up with an assist and Dmitri Sychev crying after the defeat. But now I understand something I didn't back in 2002 – and that is the sheer scale of the World Cup and what it really is. This knowledge only came to me later, when I was more experienced and mature as a footballer."

Russia failed to qualify in 2006 and 2010 but Kerzhakov was still young enough to bridge a 12-year gap and make it to the 2014 FIFA World Cup™, having led the way with five goals in the qualifying campaign.

The Russians were drawn in Group H alongside Belgium, Algeria and Korea Republic, and Kerzhakov came off the bench in the 71st minute of Russia's opening game against the Koreans

мира FIFA и что он собой представляет. Осознание этого пришло ко мне лишь позднее, когда я стал гораздо опытнее и заматерел как футболист».

России не удалось выйти на Чемпионаты мира FIFA 2006 и 2010, но Кержаков был достаточно молод, чтобы двенадцать лет спустя попасть в заявку на турнир 2014 года. Он стал лучшим форвардом команды в отборочной кампании, забив пять мячей.

В Бразилии сборная России попала в группу H вместе с Бельгией, Алжиром и Республикой Кореей. В первом же матче против корейцев Кержаков вышел на замену на 71-й минуте и уже три минуты спустя отметился голом.

То, какая радость была написана на его лице и лицах его партнеров, показывает, как много для него значило отметиться первым голом на Чемпионате мира FIFA. Он по-прежнему с улыбкой вспоминает об этом.

«За годы своей карьеры я забивал красивые, важные, победные голы, но до того момента я еще ни разу не отмечался мячами на турнирах такого уровня, - говорит Кержаков. - Не то, чтобы тогда в Бразилии у меня гора свалилась с плеч, но я, наконец, понял, что стал частью важнейшего события в мире футбола».

Чего же Александр Кержаков ждет от Чемпионата мира FIFA 2018, что мечтает увидеть в исполнении сборной России?

На Чемпионатах мира FIFA не раз случалось так, что благодаря своим трибунам хозяева получали огромное преимущество. Сборные, принимавшие турнир, шесть раз становились чемпионами. Неудивительно, что Кержаков надеется, что Россия присоединится к их числу.

«Хочется верить, что чемпионом станет Россия, - говорит он. - Мы верим в чудо, хотим, чтобы наша команда выступила лучше, чем когда-либо, и выиграла. Но мне непросто об этом говорить. Мне довелось играть рядом с представителями разных стран, сборные которых приедут в Россию. Разумеется, у меня есть друзья во многих национальных командах, поэтому будет интересно последить за их выступлениями и поддержать их тоже».

Александр Кержаков будет болеть, не жалея голоса. Если вам повезет, возможно, вы встретите его на площадке Фестиваля болельщиков FIFA и поддержите команду вместе с ним. ✦

Александр Кержаков является Послом Фестиваля болельщиков FIFA

Kerzhakov is a FIFA Fan Fest ambassador

Эмоции Александра Кержакова после гола на Чемпионате мира

The feeling of scoring a FIFA World Cup™ goal is etched on Kerzhakov's face

and found the back of the net less than three minutes later.

The way he wheeled away after scoring, with delight etched into his and his team-mates' faces, showed what it meant to him to finally get a goal at a FIFA World Cup. The memory still brings a smile to his face today.

"Throughout my career, I scored some beautiful goals, important goals and winning goals, but until 2014 I had never scored at a tournament of that prestige," he said. "I wouldn't say that a weight was lifted when I scored in Brazil, but I finally understood that I was part of this massive footballing event."

And so what of the 2018 FIFA World Cup and the hopes and dreams Kerzhakov still holds for Russia?

In previous FIFA World Cup tournaments, home advantage has proven to be a huge help on numerous occasions as host nations have won six titles and Kerzhakov, naturally, hopes Russia can make that seven this summer.

"We all want to believe it will be Russia," he said. "We all believe in miracles and we want our team to perform admirably and win. Looking at other teams, it's hard for me to say. I was lucky enough to play with many players from countries that are coming to Russia this summer. Of course, I have friends in many national teams, and it will be interesting to follow their progress and cheer for them too."

Nobody will be cheering louder than Aleksandr Kerzhakov. And, if you're lucky, if you attend a FIFA Fan Fest then you could be cheering along with him. ✦

КВАЛИФИКАЦИЯ THE QUALIFIERS

Квалификация Чемпионата мира по футболу FIFA 2018 в России™ стартовала 12 марта 2015 года, когда сборная Восточного Тимора со счетом 4:1 победила Монголию. Как всегда, турнир оказался полон невероятных интриг, разочарований и радости.

Starting back on 12 March 2015 with a 4-1 victory for Timor-Leste against Mongolia, the qualification process for the 2018 FIFA World Cup™ was its usual mix of thrills, spills, disappointments and glory...

Африка

В квалификации Африканская конфедерация футбола разыгрывала пять путевок на Чемпионат мира FIFA 2018.

В первом и втором раундах приняли участие 53 команды. К третьему раунду осталось 20 сборных, которые были разделены на пять групп, и путевку в Россию получал победитель каждой из них.

Несмотря на то, что форвард сборной Буркина-Фасо Прежюс Накульма не смог квалифицироваться на турнир, вместе с Мохамедом Салахом из Египта он стал лучшим бомбардиром африканской квалификации: оба забили по пять голов. Еще восемь игроков забили по четыре мяча.

Для Нигерии первенство в России станет шестым Чемпионатом мира. Из африканских команд только Камерун появлялся на турнире чаще (семь раз).

ВЫШЛИ НА ЧМ-2018: Египет, Марокко, Нигерия, Сенегал, Тунис

Сборная Нигерии
The Nigeria team

Africa

The Confederation of African Football's preliminary competition offered five berths at the 2018 FIFA World Cup.

A total of 53 nations competed in Round 1 and Round 2 until 20 nations were left in Round 3, split into five groups of four with the winner of each group qualifying for Russia.

Despite not qualifying, Burkina Faso's Préjuce Nakoulma was the joint-highest goalscorer in Africa, alongside Mo Salah from Egypt, as they both managed five goals apiece, ahead of an impressive nine players who all managed to net four times each.

Russia 2018 will be Nigeria's sixth appearance at a FIFA World Cup, which puts them one place behind Cameroon – who have participated seven times – in the list of all-time successful African nations.

QUALIFIED: Egypt, Morocco, Nigeria, Senegal, Tunisia

Азия

Азиатская конфедерация футбола получила 4,5 путевки на чемпионат мира в России. Четыре команды квалифицировались на турнир напрямую, еще одна должна была сыграть в межконтинентальных стыковых матчах.

По итогам первых трех отборочных раундов на Чемпионат мира отправились Иран, Республика Корея, Япония и Саудовская Аравия. В четвертом раунде Австралия победила Сирию 3:2, получив право сыграть с представлявшим КОНКАКАФ Гондурасом за последнюю путевку. Благодаря хет-трику Миле Единака 15 ноября 2017 австралийцы победили в Сиднее 3:1 и прошли дальше.

ВЫШЛИ НА ЧМ-2018: Австралия, И.Р. Иран, Саудовская Аравия, Республика Корея, Япония

Asia

The Asian Football Confederation received 4.5 slots for the 2018 FIFA World Cup, consisting of four direct qualification places and a further place subject to an inter-confederation play-off victory.

Over four qualifying rounds, IR Iran, Korea Republic, Japan and Saudi Arabia all qualified for Russia 2018 in Round 3 before Australia defeated Syria 3-2 in Round 4 which ensured they would then face Honduras from CONCACAF for the final spot, which they emphatically confirmed thanks to Mile Jedinak's superb hat-trick in a 3-1 victory in Sydney on 15 November 2017.

QUALIFIED: Australia, IR Iran, Japan, Korea Republic, Saudi Arabia

Европа

…ольше всех путевок на Чемпионат мира FIFA 2018 получила …вропа. Отборочный турнир состоял из двух этапов. В …ервом раунде команды были разделены на девять групп, …о шесть команд в каждой. Сборные, занявшие первые …еста, квалифицировались напрямую. Оставшиеся четыре …утевки в стыковых матчах разыграли между собой лучшие …осемь команд, финишировавших в своих группах вторыми.

Одной из команд, отсутствие которых на турнире будет …собенно заметно, стали Нидерланды. Многократный …иналист занял третье место в группе А, поэтому не …частвовал даже в стыковых матчах.

Англия, Германия, Испания и Бельгия вышли с первых …ест, не потерпев ни одного поражения. А в стыковых …атчах блеснули Хорватия, обыгравшая Грецию (4:1), … Дания, с помощью хет-трика Кристиана Эриксена …азгромившая в гостях Ирландию (5:1).

…ЫШЛИ НА ЧМ-2018: Англия, Бельгия, Германия, Дания, …сландия, Испания, Польша, Португалия, Россия (хозяйка, …втоматически), Сербия, Франция, Хорватия, Швейцария, …веция

Europe

Europe were granted 13 places for the 2018 FIFA World Cup™ – the most berths given to any confederation – and qualification was split into two rounds.

Round 1 had a colossal nine groups, each containing six sides with the group winners immediately qualifying. The remaining four berths were decided by two-legged play-off matches.

Of all the teams missing at Russia 2018, one of the most noteworthy are the Netherlands as the three-time runners-up finished in third place in Group A.

England, Germany, Spain and Belgium all qualified unbeaten in their respective groups while the play-off round also prompted some big performances as Croatia beat Greece 4-1 to secure their spot while a Christian Eriksen hat-trick inspired Denmark to a wonderful 5-1 victory against the Republic of Ireland.

Four-time winners Italy missed out.

QUALIFIED: Belgium, Croatia, Denmark, England, France, Germany, Iceland, Poland, Portugal, Russia (automatically as hosts), Serbia, Spain, Sweden, Switzerland

Бразилия заняла первое место в своей группе
Brazil qualified top of their group

Южная Америка

Десять сборных разыграли между собой 4,5 путевки, на которые имела право Южная Америка. Бразилия стала первой сборной, которая вышла на Чемпионат мира FIFA 2018, выиграв 12 из 18 матчей и заняв первое место в турнире.

Второе место с 31 очком занял Уругвай, на 10 очков отстав от бразильцев.

Драматичной получилась борьба за третью и четвертую путевки – перед последними матчами судьба обеих была под вопросом.

Поразительно, но Аргентина, неважно проводившая кампанию, имела все шансы не попасть на турнир с парадного входа. Хет-трик Лионеля Месси в последней игре помог ей вскочить на подножку уходящего поезда. В параллельном матче Колумбия сыграла вничью с Перу и тоже прошла дальше.

В свою очередь, перуанцы не остались за бортом турнира, в плей-офф оказавшись сильнее Новой Зеландии.

ВЫШЛИ НА ЧМ-2018: Аргентина, Бразилия, Колумбия, Перу, Уругвай

South America

Ten sides competed for the 4.5 berths available to South America, and Brazil were the first team to qualify as they cruised to top spot in the round-robin group, winning 12 of their 18 matches.

Uruguay finished second, ten points behind Brazil on 31 points, but all the drama lay in spots three and four, which were still up for grabs ahead of the last round of games.

Remarkably, Argentina looked close to not qualifying automatically after a stuttering campaign but a Lionel Messi hat-trick in the final fixture eventually helped them to third spot while a draw for Colombia against Peru in their last match gave them the last qualifying berth.

Peru then beat New Zealand in their play-off to also make it to Russia.

QUALIFIED: Argentina, Brazil, Colombia, Peru, Uruguay

КОНКАКАФ

В квалификации Северной и Центральной Америки и стран Карибского региона (КОНКАКАФ) решалась судьба 3,5 путевок на Чемпионат мира FIFA. В шести раундах (в их числе межконтинентальный плей-офф) приняли участие 35 команд.

Первые три раунда включали сдвоенный стыковой матч, победители вышли в четвертый раунд, где борьбу продолжили 12 команд, разделенных на три группы. В пятом раунде оставшиеся шесть команд провели круговой турнир, и три лучшие сборные получили прямые путевки в Россию. Финишировавший четвертым Гондурас сыграл в плей-офф с Австралией, но уступил.

ВЫШЛИ НА ЧМ-2018: Коста-Рика, Мексика, Панама

Игроки сборной Коста-Рики празднуют
Costa Rica's players celebrate

CONCACAF

The preliminary competition in the North, Central America and Caribbean zone (CONCACAF) received 3.5 berths for Russia 2018 and featured a total of 35 countries over six rounds (including an inter-confederation play-off).

The first three rounds involved a two-legged play-off match with the winners advancing to Round 4 when the remaining 12 sides were split into three groups of four. In Round 5, the remaining six countries played in one large group where the top three advanced to Russia while Honduras faced Australia, in a play-off encounter they duly lost.

QUALIFIED: Costa Rica, Mexico, Panama

Океания

11 сборных, представляющих Океанию, боролись за то, чтобы стать представителем региона в межконтинентальных стыковых матчах за право поехать на Чемпионат мира FIFA 2018.

После первого раунда дальше прошла сборная Самоа. Во втором раунде команды были разбиты на две группы по четыре. Затем шесть лучших сборных оказались разделены на две группы по три. Победителями стали Новая Зеландия и Соломоновы Острова.

По итогам двух матчей Новая Зеландия победила Соломоновы Острова и встретилась с Перу, но южноамериканцы оказались сильнее (2:0) и получили путевку в Россию.

Oceania

Oceania received half a berth at the 2018 FIFA World Cup with a total of 11 nations competing for the opportunity to get to a play-off encounter.

Samoa went through from Round 1, and two group phases in Rounds 2 and 3 produced two winners, New Zealand and Solomon Islands.

New Zealand came through a two-legged play-off to go forward and face Peru in an intercontinental play-off but they lost 2-0 on aggregate, meaning Oceania will have no representatives in Russia.

Новая Зеландия не попала на турнир
New Zealand missed out

СТАТИСТИКА КВАЛИФИКАЦИИ
THE QUALIFYING STATS

807

Количество голов, забитых в матчах европейской зоны квалификации Чемпионата мира FIFA 2018, это примерно 2,9 гола за матч или один забитый мяч раз в 31 минуту

The total number of goals scored in the European qualifiers, which works out at 2.90 goals a game, or a goal every 31 minutes

16

Число голов, забитых Робертом Левандовски в квалификации Чемпионата мира FIFA 2018 – больше , чем кто-либо другой

The number of goals Robert Lewandowski scored for Poland in their 2018 FIFA World Cup qualification campaign, the most of any nation in action in Russia

871

Количество матчей проведено в квалификации Чемпионата мира FIFA 2018

The number of matches played in the entire 2018 FIFA World Cup qualification process

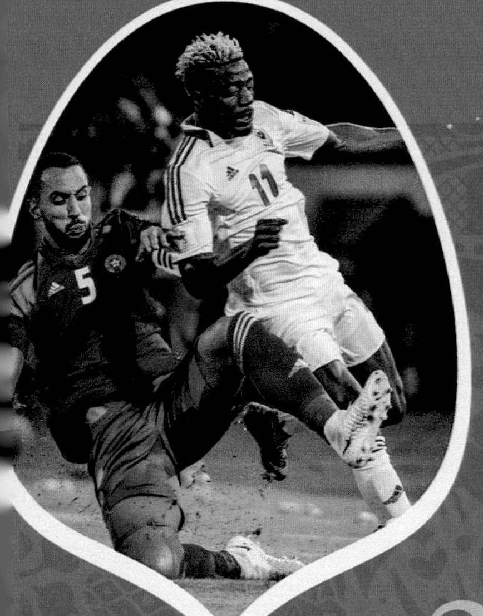

0

Количество голов, пропущенных сборной Марокко за всю отборочную кампанию

The number of goals conceded by Morocco in the group stage of their remarkable qualifying campaign

209

Число национальных ассоциаций, которые зарегистрировались для участия в квалификации – это рекорд

The number of member associations that registered for the qualifiers, the most ever

4.3

Количество голов, которое сборная Бельгии забила в среднем в каждом матче квалификации, столько же у Германии

The average number of goals scored by Belgium in each qualifier, the joint-highest alongside Germany

980

Число дней, которое потребовалось, чтобы сократить количество сборных с 209 до 32, которые едут в Россию

The number of days it took to whittle 209 teams down to the 32 on show in Russia

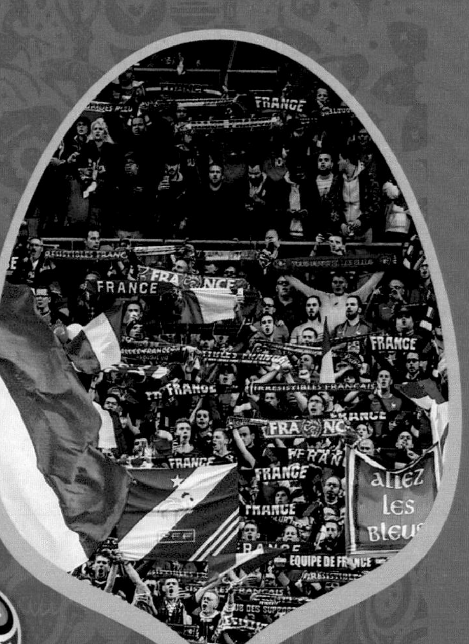

51

Гол забила сборная Австралии во время отборочной кампании, это на восемь больше, чем любая другая команда

The number of goals scored by Australia in the qualifiers, eight more than any other nation

6

Число континентальных зон, на которые были разбиты участники квалификации Чемпионата мира FIFA 2018

The number of continental zones involved in the qualifiers for Russia 2018

18,720,691

зритель посетил матчи отборочного турнира к Чемпионату мира FIFA 2018 года

The combined total attendance of all 2018 FIFA World Cup qualification matches

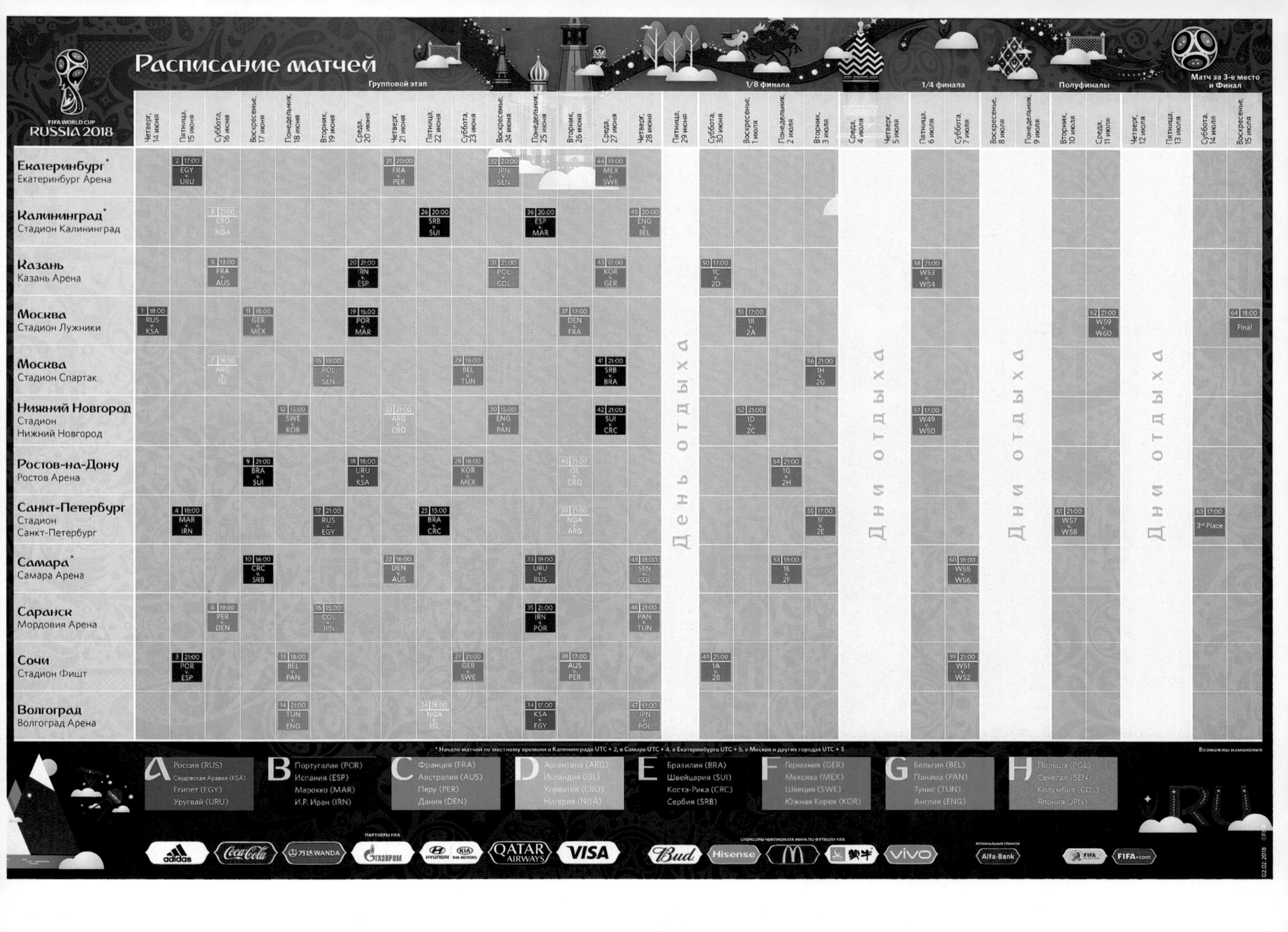

FIFA WORLD CUP RUSSIA 2018

Расписание матчей

Групповой этап

	Четверг, 14 июня	Пятница, 15 июня	Суббота, 16 июня	Воскресенье, 17 июня	Понедельник, 18 июня	Вторник, 19 июня	Среда, 20 июня	Четверг, 21 июня
Екатеринбург* Екатеринбург Арена		2 17:00 EGY v URU						21 20:00 FRA v PER
Калининград* Стадион Калининград			8 21:00 CRO v NGA					
Казань Казань Арена			5 13:00 FRA v AUS				20 21:00 IRN v ESP	
Москва Стадион Лужники	1 18:00 RUS v KSA			11 18:00 GER v MEX			19 15:00 POR v MAR	
Москва Стадион Спартак			7 16:00 ARG v ISL			15 18:00 POL v SEN		
Нижний Новгород Стадион Нижний Новгород					12 15:00 SWE v KOR			23 21:00 ARG v CRO
Ростов-на-Дону Ростов Арена				9 21:00 BRA v SUI			18 18:00 URU v KSA	
Санкт-Петербург Стадион Санкт-Петербург		4 18:00 MAR v IRN				17 21:00 RUS v EGY		
Самара* Самара Арена				10 16:00 CRC v SRB				22 16:00 DEN v AUS
Саранск Мордовия Арена			6 19:00 PER v DEN			16 15:00 COL v JPN		
Сочи Стадион Фишт		3 21:00 POR v ESP			13 18:00 BEL v PAN			
Волгоград Волгоград Арена					14 21:00 TUN v ENG			

	Пятница, 22 июня	Суббота, 23 июня	Воскресенье, 24 июня	Понедельник, 25 июня	Вторник, 26 июня	Среда, 27 июня	Четверг, 28 июня
Екатеринбург* Екатеринбург Арена			32 20:00 JPN v SEN			44 19:00 MEX v SWE	
Калининград* Стадион Калининград	26 20:00 SRB v SUI			36 20:00 ESP v MAR			45 20:00 ENG v BEL
Казань Казань Арена			31 21:00 POL v COL			43 17:00 KOR v GER	
Москва Стадион Лужники					37 17:00 DEN v FRA		
Москва Стадион Спартак		29 15:00 BEL v TUN				41 21:00 SRB v BRA	
Нижний Новгород Стадион Нижний Новгород			30 15:00 ENG v PAN			42 21:00 SUI v CRC	
Ростов-на-Дону Ростов Арена		28 18:00 KOR v MEX			40 21:00 ISL v CRO		
Санкт-Петербург Стадион Санкт-Петербург	25 15:00 BRA v CRC				39 21:00 NGA v ARG		
Самара* Самара Арена				33 18:00 URU v RUS			48 18:00 SEN v COL
Саранск Мордовия Арена				35 21:00 IRN v POR			46 21:00 PAN v TUN
Сочи Стадион Фишт		27 21:00 GER v SWE			38 17:00 AUS v PER		
Волгоград Волгоград Арена	24 18:00 NGA v ISL			34 17:00 KSA v EGY			47 17:00 JPN v POL

1/8 финала · 1/4 финала · Полуфиналы · Матч за 3-е место и Финал

	Пятница, 29 июня	Суббота, 30 июня	Воскресенье, 1 июля	Понедельник, 2 июля	Вторник, 3 июля	Среда, 4 июля	Четверг, 5 июля	Пятница, 6 июля	Суббота, 7 июля	Воскресенье, 8 июля	Понедельник, 9 июля	Вторник, 10 июля	Среда, 11 июля	Четверг, 12 июля	Пятница, 13 июля	Суббота, 14 июля	Воскресенье, 15 июля
Екатеринбург* Екатеринбург Арена	День отдыха					Дни отдыха	Дни отдыха			Дни отдыха	Дни отдыха			Дни отдыха	Дни отдыха		
Калининград* Стадион Калининград																	
Казань Казань Арена		50 17:00 1C v 2D						58 21:00 W53 v W54									
Москва Стадион Лужники			51 17:00 1B v 2A										62 21:00 W59 v W60				64 18:00 Final
Москва Стадион Спартак					56 21:00 1H v 2G												
Нижний Новгород Стадион Нижний Новгород			52 21:00 1D v 2C					57 17:00 W49 v W50									
Ростов-на-Дону Ростов Арена				54 21:00 1G v 2H													
Санкт-Петербург Стадион Санкт-Петербург					55 17:00 1F v 2E							61 21:00 W57 v W58				63 17:00 3rd Place	
Самара* Самара Арена				53 18:00 1E v 2F					60 18:00 W55 v W56								
Саранск Мордовия Арена																	
Сочи Стадион Фишт		49 21:00 1A v 2B							59 21:00 W51 v W52								
Волгоград Волгоград Арена																	

* Начало матчей по местному времени в Калининграде UTC + 2, в Самаре UTC + 4, в Екатеринбурге UTC + 5, в Москве и других городах UTC + 3

Возможны изменения

A Россия (RUS), Саудовская Аравия (KSA), Египет (EGY), Уругвай (URU)

B Португалия (POR), Испания (ESP), Марокко (MAR), И.Р. Иран (IRN)

C Франция (FRA), Австралия (AUS), Перу (PER), Дания (DEN)

D Аргентина (ARG), Исландия (ISL), Хорватия (CRO), Нигерия (NGA)

E Бразилия (BRA), Швейцария (SUI), Коста-Рика (CRC), Сербия (SRB)

F Германия (GER), Мексика (MEX), Швеция (SWE), Южная Корея (KOR)

G Бельгия (BEL), Панама (PAN), Тунис (TUN), Англия (ENG)

H Польша (POL), Сенегал (SEN), Колумбия (COL), Япония (JPN)

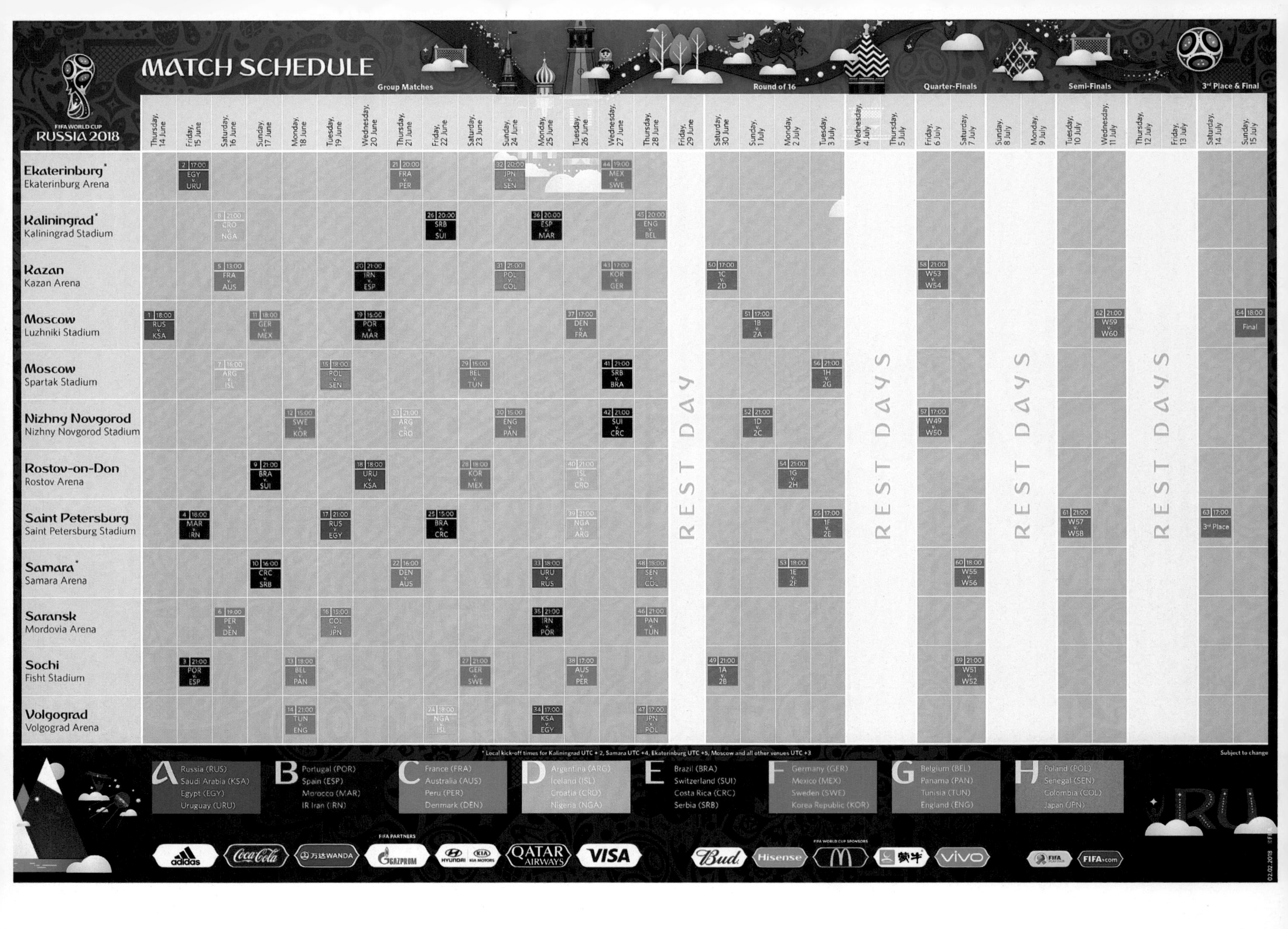

FIFA WORLD CUP RUSSIA 2018

MATCH SCHEDULE

Group Matches

Venue	Thursday, 14 June	Friday, 15 June	Saturday, 16 June	Sunday, 17 June	Monday, 18 June	Tuesday, 19 June	Wednesday, 20 June	Thursday, 21 June
Ekaterinburg* Ekaterinburg Arena		2 17:00 EGY v URU						21 20:00 FRA v PER
Kaliningrad* Kaliningrad Stadium			8 21:00 CRO v NGA					
Kazan Kazan Arena			5 13:00 FRA v AUS				20 21:00 IRN v ESP	
Moscow Luzhniki Stadium	1 18:00 RUS v KSA			11 18:00 GER v MEX			19 15:00 POR v MAR	
Moscow Spartak Stadium			7 16:00 ARG v ISL			15 18:00 POL v SEN		
Nizhny Novgorod Nizhny Novgorod Stadium					12 15:00 SWE v KOR			23 21:00 ARG v CRO
Rostov-on-Don Rostov Arena				9 21:00 BRA v SUI			18 18:00 URU v KSA	
Saint Petersburg Saint Petersburg Stadium		4 18:00 MAR v IRN				17 21:00 RUS v EGY		
Samara* Samara Arena				10 16:00 CRC v SRB				22 16:00 DEN v AUS
Saransk Mordovia Arena			6 19:00 PER v DEN			16 15:00 COL v JPN		
Sochi Fisht Stadium		3 21:00 POR v ESP			13 18:00 BEL v PAN			
Volgograd Volgograd Arena					14 21:00 TUN v ENG			

Venue	Friday, 22 June	Saturday, 23 June	Sunday, 24 June	Monday, 25 June	Tuesday, 26 June	Wednesday, 27 June	Thursday, 28 June
Ekaterinburg* Ekaterinburg Arena			32 20:00 JPN v SEN			44 19:00 MEX v SWE	
Kaliningrad* Kaliningrad Stadium	26 20:00 SRB v SUI			36 20:00 ESP v MAR			45 20:00 ENG v BEL
Kazan Kazan Arena			31 21:00 POL v COL			43 17:00 KOR v GER	
Moscow Luzhniki Stadium					37 17:00 DEN v FRA		
Moscow Spartak Stadium		29 15:00 BEL v TUN				41 21:00 SRB v BRA	
Nizhny Novgorod Nizhny Novgorod Stadium			30 15:00 ENG v PAN			42 21:00 SUI v CRC	
Rostov-on-Don Rostov Arena		28 18:00 KOR v MEX			40 21:00 ISL v CRO		
Saint Petersburg Saint Petersburg Stadium	25 15:00 BRA v CRC				39 21:00 NGA v ARG		
Samara* Samara Arena				33 18:00 URU v RUS			48 18:00 SEN v COL
Saransk Mordovia Arena				35 21:00 IRN v POR			46 21:00 PAN v TUN
Sochi Fisht Stadium		27 21:00 GER v SWE			38 17:00 AUS v PER		
Volgograd Volgograd Arena	24 18:00 NGA v ISL			34 17:00 KSA v EGY			47 17:00 JPN v POL

Round of 16

Venue	Friday, 29 June	Saturday, 30 June	Sunday, 1 July	Monday, 2 July	Tuesday, 3 July
Ekaterinburg* Ekaterinburg Arena	REST DAY				
Kaliningrad* Kaliningrad Stadium					
Kazan Kazan Arena		50 17:00 1C v 2D			
Moscow Luzhniki Stadium			51 17:00 1B v 2A		
Moscow Spartak Stadium					56 21:00 1H v 2G
Nizhny Novgorod Nizhny Novgorod Stadium			52 21:00 1D v 2C		
Rostov-on-Don Rostov Arena				54 21:00 1G v 2H	
Saint Petersburg Saint Petersburg Stadium					55 17:00 1F v 2E
Samara* Samara Arena				53 18:00 1E v 2F	
Saransk Mordovia Arena					
Sochi Fisht Stadium		49 21:00 1A v 2B			
Volgograd Volgograd Arena					

Quarter-Finals · Semi-Finals · 3rd Place & Final

Venue	Wednesday, 4 July	Thursday, 5 July	Friday, 6 July	Saturday, 7 July	Sunday, 8 July	Monday, 9 July	Tuesday, 10 July	Wednesday, 11 July	Thursday, 12 July	Friday, 13 July	Saturday, 14 July	Sunday, 15 July
Ekaterinburg* Ekaterinburg Arena	REST DAYS				REST DAYS				REST DAYS			
Kaliningrad* Kaliningrad Stadium												
Kazan Kazan Arena			58 21:00 W53 v W54									
Moscow Luzhniki Stadium								62 21:00 W59 v W60				64 18:00 Final
Moscow Spartak Stadium												
Nizhny Novgorod Nizhny Novgorod Stadium			57 17:00 W49 v W50									
Rostov-on-Don Rostov Arena												
Saint Petersburg Saint Petersburg Stadium							61 21:00 W57 v W58				63 17:00 3rd Place	
Samara* Samara Arena				60 18:00 W55 v W56								
Saransk Mordovia Arena												
Sochi Fisht Stadium				59 21:00 W51 v W52								
Volgograd Volgograd Arena												

* Local kick-off times for Kaliningrad UTC + 2, Samara UTC +4, Ekaterinburg UTC +5, Moscow and all other venues UTC +3

Subject to change

A Russia (RUS), Saudi Arabia (KSA), Egypt (EGY), Uruguay (URU)

B Portugal (POR), Spain (ESP), Morocco (MAR), IR Iran (IRN)

C France (FRA), Australia (AUS), Peru (PER), Denmark (DEN)

D Argentina (ARG), Iceland (ISL), Croatia (CRO), Nigeria (NGA)

E Brazil (BRA), Switzerland (SUI), Costa Rica (CRC), Serbia (SRB)

F Germany (GER), Mexico (MEX), Sweden (SWE), Korea Republic (KOR)

G Belgium (BEL), Panama (PAN), Tunisia (TUN), England (ENG)

H Poland (POL), Senegal (SEN), Colombia (COL), Japan (JPN)

02.02.2018

FIFA WORLD CUP RUSSIA 2018

ДОТЯНУТЬСЯ ДО ЗВЕЗД...

Этот праздник футбола продлится 32 дня. Мечты одних воплотятся в жизнь, мечты других будут разбиты. Но воспоминания о турнире останутся с нами надолго. Теперь дело за командами и игроками, они уже рядом – достаточно протянуть руку!

BRING ON THE STARS...

This 32-day football feast will see dreams both realised and shattered. What is certain is that memories will be created that will last for generations to come. It's all about the teams and the players...so bring them on!

ГРУППА/GROUP A

Россия
Russia

Саудовская Аравия
Saudi Arabia

Египет
Egypt

Уругвай
Uruguay

ГРУППА/GROUP B

Португалия
Portugal

Испания
Spain

Марокко
Morocco

И.Р. Иран
IR Iran

ГРУППА/GROUP C

Франция
France

Австралия
Australia

Перу
Peru

Дания
Denmark

ГРУППА/GROUP D

Аргентина
Argentina

Исландия
Iceland

Хорватия
Croatia

Нигерия
Nigeria

ГРУППА/GROUP E

Бразилия
Brazil

Швейцария
Switzerland

Коста-Рика
Costa Rica

Сербия
Serbia

ГРУППА/GROUP F

Германия
Germany

Мексика
Mexico

Швеция
Sweden

Южная Корея
Korea Republic

ГРУППА/GROUP G

Бельгия
Belgium

Панама
Panama

Тунис
Tunisia

Англия
England

ГРУППА/GROUP H

Польша
Poland

Сенегал
Senegal

Колумбия
Colombia

Япония
Japan

ГРУППА
GROUP
A

РОССИЯ

РОССИЯ

RUSSIA

СТАТИСТИКА
ALL-TIME STATS

Наибольшее число игр: Сергей Игнашевич (120)
Лучший бомбардир: Александр Кержаков (30)
Прозвище: *«сборная»* (национальная команда)
Наивысший рейтинг FIFA: 3 (апрель 1996)
Самая крупная победа: 7:0 над Сан-Марино, 7 июня 1995, 7:0 над Лихтенштейном, 8 сентября 2015

Most caps: Sergei Ignashevich 120
Most goals: Aleksandr Kerzhakov 30
Nickname: *Sbornaya* (The National Team)
Highest FIFA ranking: 3rd (April 1996)
Biggest win: 7-0 v. San Marino, 7 June 1995, 7-0 v. Liechtenstein, 8 September 2015

RU **Многие считают, что Чемпионат мира по футболу FIFA 2018™ — это шанс России показать, насколько прекрасна эта страна, и продемонстрировать, что она может принимать настолько серьёзное мероприятие. Для игроков сборной России — это возможность доказать, что достойны находиться в числе лучших команд мира.**

Хотя оценить то, насколько обоснованы такие притязания, сейчас невозможно, потому что России не пришлось участвовать в отборочном турнире, нет сомнений в том, что команда обладает талантливыми футболистами.

Игорь Акинфеев, Алан Дзагоев, Фёдор Смолов и другие игроки — высококлассные футболисты, а достойные результаты против сильных соперников в товарищеских матчах (как, например, ничья 3:3 с Испанией в 2017) дают российской сборной уверенность в том, что она сможет справиться с давлением, выступая перед своими трибунами.

С тех пор, как распался СССР, России не удавалось преодолеть групповой этап Чемпионата мира FIFA. На этот раз команде представляется отличная возможность — это исправить.

EN **Many people see the 2018 FIFA World Cup™ as a chance for the country of Russia to showcase its beauty and ability to host such a huge event. For Russia's footballers, it is all about the chance to prove they have what it takes to compete with the best the world can throw at them.**

While it's hard to assess Russia's current standing, not having had to go through a qualifying campaign, there is no doubt they have talented players in their squad.

Igor Akinfeev, Alan Dzagoev, Fyodor Smolov, among others, are top-quality players capable of mixing it with high-class opponents and some of Russia's results in friendlies, such as the 3-3 draw with Spain in 2017, have given confidence to a group of players who will feel the pressure to perform on home turf.

Since the break-up of the Soviet Union, Russia haven't made it beyond the group stages in a FIFA World Cup™. This would be a great time to improve on that record.

RUSSIA

ВЫХОД НА ЧЕМПИОНАТ МИРА FIFA
FIFA WORLD CUP CLINCHER

Так как Россия выступает хозяйкой Чемпионата мира по футболу FIFA, ей не пришлось проходить через сито отборочного этапа, но за минувший год команда провела ряд матчей против сильных команд, чтобы подготовиться к турниру.

На Кубке Конфедераций FIFA 2017 года Россия выиграла один матч из трёх и с минимальной разницей уступила Португалии и Мексике. За ними последовали сложные матчи против Республики Корея, Аргентины и Испании.

As hosts, Russia weren't required to test themselves during a qualifying campaign, but they have faced a host of top sides in the past year to ensure they are battle-hardened for the task ahead.

They won one of their three FIFA Confederations Cup 2017 matches, losing narrowly to Portugal and Mexico, before tough friendly encounters with Korea Republic, Argentina and Spain.

ГЛАВНЫЙ ТРЕНЕР
THE COACH

Станислав Черчесов

Перед наставником сборной России Станиславом Черчесовым стоит очень сложная задача. Миллионы российских болельщиков мечтают о том, что ещё долгие годы смогут с радостью вспоминать «домашний» Чемпионат мира FIFA.

Хотя в числе фаворитов турнира называют, в первую очередь, другие команды, от Черчесова и его дружины ждут многого. К счастью, наставник сборной России обладает сильным характером и способен справиться с прессингом.

До того, как в 2016 году он возглавил национальную команду, бывший вратарь сборной России в качестве главного тренера сделал «дубль» с варшавской «Легией» в чемпионате и кубке Польши.

Stanislav Cherchesov

The task that stands before Stanislav Cherchesov is a huge one. He is aiming to give millions of football-hungry home fans a FIFA World Cup to remember.

While neutrals will put other nations above Russia in the list of favourites, the expectation on Cherchesov is enormous. Fortunately, the former Legia Warsaw manager is strong enough to take the strain. Before taking over as Russia boss in 2016, he won the Polish league and cup double.

ЛУЧШИЙ МОМЕНТ НА ЧЕМПИОНАТЕ МИРА FIFA

Команде пока ни разу не удалось преодолеть групповой этап Чемпионата мира FIFA, поэтому самые яркие воспоминания связаны с пятью голами Олега Саленко в матче с Камеруном (6:1) на турнире в США в 1994 году.

BEST FIFA WORLD CUP MOMENT

Having so far failed to get beyond the FIFA World Cup group stages, Oleg Salenko's record-breaking five-goal haul in a 6-1 group win over Cameroon in the USA in 1994 has to be the standout moment.

ГЕРОЙ ЧЕМПИОНАТА МИРА FIFA

Саленко смог забить шесть голов на Чемпионате мира по футболу FIFA 1994 в США™ и, вместе с болгарином Христо Стоичковым, выиграл Золотую бутсу. Что удивительно, до этого Саленко никогда не забивал за сборную, а после турнира никогда за неё больше не играл.

FIFA WORLD CUP HERO

Salenko managed six goals at the 1994 FIFA World Cup USA™ to jointly win the Golden Boot with Bulgaria's Hristo Stoichkov. Remarkably, Salenko hadn't scored a goal for Russia before the tournament and never played for his country again.

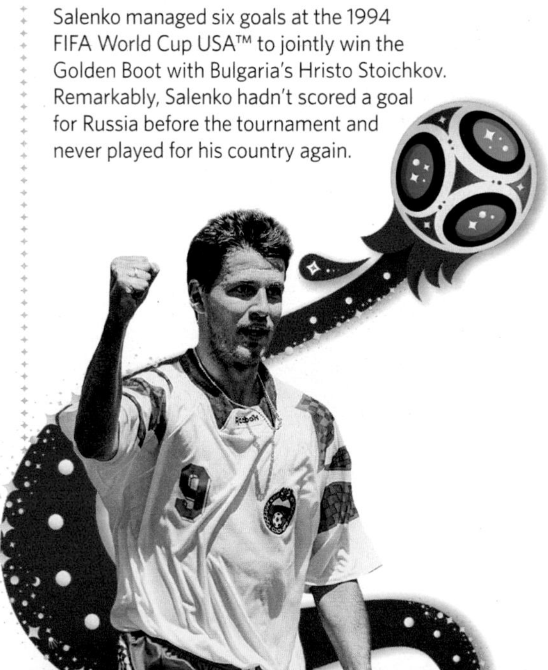

РОССИЯ - RUSSIA

КЛЮЧЕВОЕ ТРИО / THE KEY THREE

АЛАН ДЗАГОЕВ

Атакующий полузащитник Алан Дзагоев выступает за сборную России уже десять лет.

Когда в 2008 году футболист ПФК ЦСКА дебютировал за команду в матче против Германии, он стал самым молодым полевым игроком в истории сборной. Кроме того, он разделил приз лучшему бомбардиру Чемпионата Европы по футболу УЕФА 2012 с пятью другими игроками.

ALAN DZAGOEV

A busy midfielder with an eye for goal, Alan Dzagoev has been a Russian international for a decade.

When the CSKA Moscow man made his debut against Germany in 2008, he was Russia's youngest-ever outfield player and among his list of achievements, he was the joint-highest scorer at UEFA EURO 2012.

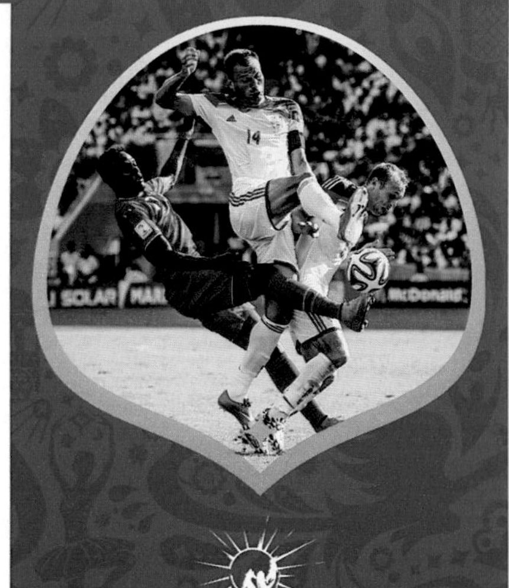

НАИВЫСШЕЕ ДОСТИЖЕНИЕ НА ЧМ
BEST WORLD CUP PERFORMANCE
ГРУППОВОЙ ЭТАП, 1994, 2002, 2014
GROUP STAGE, 1994, 2002, 2014

ФЕДОР СМОЛОВ

До того, как Федор Смолов в 2015 году присоединился к ФК «Краснодар», казалось, что его футбольная карьера закончится, так и не успев по-настоящему начаться.

После не слишком ярких выступлений за московское «Динамо», «Фейеноорд», «Анжи» и «Урал», в составе «Краснодара» Смолов неожиданно стал лучшим бомбардиром РФПЛ в сезонах 2015/2016 и 2016/2017.

FYODOR SMOLOV

Until Fyodor Smolov signed for FC Krasnodar in 2015, his career was looking unlikely to take off in the way expert onlookers had expected.

But after uneventful spells at Dynamo Moscow, Feyenoord, Anzhi Makhachkala and Ural Yekaterinburg failed to get the best out of him, he went on to top the Russian Premier League's goalscoring charts in 2015-16 and 2016-17.

СЫГРАНО МАТЧЕЙ НА ЧМ
WORLD CUP FINALS MATCHES PLAYED

9

ИГОРЬ АКИНФЕЕВ

Лишь немногих вратарей всерьёз можно сравнивать с великим Львом Яшиным, но Игорь Акинфеев имеет на это право — долгие годы он демонстрирует высокий уровень игры.

Голкипер, который всю свою карьеру выступает за ПФК ЦСКА, провёл свыше 100 матчей за национальную сборную и девять раз выигрывал приз лучшему вратарю года имени Льва Яшина.

IGOR AKINFEEV

Not many Russian goalkeepers are highly thought of enough to be mentioned in the same breath as the great Lev Yashin but Igor Akinfeev has long been a national hero.

A one-club man with CSKA Moscow, he has over 100 caps to his name and has won the "Lev Yashin Prize" for Russia's best goalkeeper nine times.

ЗАБИТО ГОЛОВ НА ЧМ
WORLD CUP FINALS GOALS SCORED

13

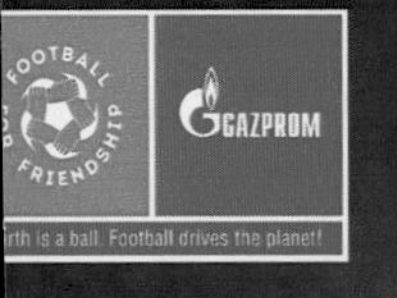

PROGRAMME

FOOTBALL FOR FRIENDSHIP

We are changing the world!

HE FINAL EVENTS
OSCOW, RUSSIA, JUNE 8-15

#F4F

FIFA WORLD CUP RUSSIA 2018

ГРУППА GROUP A

САУДОВСКАЯ АРАВИЯ

SAFF

САУДОВСКАЯ АРАВИЯ

SAUDI ARABIA

СТАТИСТИКА ALL-TIME STATS

Наибольшее число игр: Мохамед ад-Деайя (178)
Лучший бомбардир: Маджид Абдулла (71)
Прозвище: *«зелёные соколы»*
Наивысший рейтинг FIFA: 21 (июль 2004)
Самая крупная победа: 10:0 над Восточным Тимором, 17 ноября 2015

Most caps: Mohamed Al-Deayea (178)
Most goals: Majed Abdullah (71)
Nickname: *The Green Falcons*
Highest FIFA ranking: 21st (July 2004)
Biggest win: 10-0 v. Timor-Leste, 17 November 2015

RU **Саудовской Аравии пришлось двенадцать лет ждать возвращения на Чемпионат мира FIFA, и болельщикам «зелёных соколов» не терпится увидеть начало турнира.**

Саудовцы не смогли квалифицироваться на Чемпионаты мира FIFA 2010 и 2014 годов, и теперь надеются, что снова начнут демонстрировать форму, которая позволила им до этого четыре раза подряд сыграть на турнире для сильнейших команд планеты.

Хотя эта сборная обладает сыгранным и опытным составом, в последнее время в ней произошли тренерские перестановки.

В сентябре 2017 свой пост покинул голландец Берт ван Марвейк, с которым Саудовская Аравия квалифицировалась на Чемпионат мира по футболу FIFA 2018™. Его сменил Эдгардо Бауса, но аргентинец задержался всего на пять матчей. Сейчас команду возглавил экс-наставник сборной Чили Хуан Антонио Пицци.

Саудовская Аравия попала в сложную группу, но это очень дисциплинированная команда, с которой будет непросто справиться любому сопернику.

EN **The wait for Saudi Arabia to return to action in a FIFA World Cup™ has lasted 12 years and fans of the *Green Falcons* cannot wait to get back into the action.**

After failing to qualify for the 2010 and 2014 editions, Saudi Arabia will be hoping to once again get back to the standards that saw them qualify for four straight FIFA World Cup tournaments.

Saudi Arabia's squad are an experienced and dependable group but there have been a succession of managerial changes in recent times.

Dutchman Bert van Marwijk left his job as manager in September 2017, despite taking them through the qualifying campaign for the 2018 FIFA World Cup™, but his replacement, Edgardo Bauza, only lasted five games before he was succeeded by former Chile manager Juan Antonio Pizzi.

Saudi Arabia are in a difficult group but they are a very disciplined team and will certainly be a tough proposition for any opponent.

SAUDI ARABIA

ВЫХОД НА ЧЕМПИОНАТ МИРА FIFA
FIFA WORLD CUP CLINCHER

Во втором раунде азиатского отборочного турнира Саудовская Аравия заняла первое место в группе и вышла в третий раунд.

На этом этапе Саудовская Аравия финишировала второй в группе, пропустив вперёд Японию. Только благодаря лучшей разнице мячей саудовцам удалось опередить Австралию.

В конечном итоге решающим матчем стал поединок против японской команды. Гола Фахада аль-Муваллада оказалось достаточно, чтобы победить.

Saudi Arabia finished second behind group winners Japan and just ahead of Australia as they qualified on goal difference.

The critical match came against Japan when a fine finish from Fahad Al Muwallad ensured a 1-0 victory that ultimately turned out to be crucial.

They had already topped their group in the second round of qualifying before their success in round 3.

ГЛАВНЫЙ ТРЕНЕР
THE COACH

Хуан Антонио Пицци

В прошлом игрок сборной Испании Хуан Антонио Пицци оставил пост главного тренера Чили после того, как не смог вывести команду на Чемпионат мира по футболу FIFA 2018™.

На тренерском посту Саудовской Аравии за последние месяцы произошли серьёзные изменения — Берт ван Марвейк покинул команду, затем с ней работал Эдгардо Бауса, но надолго не задержался. Сейчас ей руководит Пицци.

Сборная Чили под руководством Пицци выиграла Кубок Америки в 2016 году, этот специалист известен тем, что делает упор на дисциплину.

Juan Antonio Pizzi

Former Spanish international Juan Antonio Pizzi resigned as Chile's manager after failing to steer them to the 2018 FIFA World Cup™.

Occupation of the Saudi Arabia hot seat has changed considerably in recent times as Bert van Marwijk and then Edgardo Bauza left the post in quick succession, but Pizzi will bring some stability to the role.

He led Chile to *Copa América* glory in 2016 and is renowned for his disciplinarian style.

You can guarantee that Saudi Arabia will be one of the best-drilled sides in Russia.

ЛУЧШИЙ МОМЕНТ НА ЧЕМПИОНАТЕ МИРА FIFA

Им должен стать потрясающий гол, забитый Саидом аль-Увайраном на Чемпионате мира по футболу FIFA 1994™, когда он обвёл всю команду Бельгии и забил победный гол.

BEST FIFA WORLD CUP MOMENT

It has to be the incredible goal scored by Saeed Al-Owairan at the 1994 FIFA World Cup™ when he ran through most of the Belgian side to score a truly stunning winner in their group match.

ГЕРОЙ ЧЕМПИОНАТА МИРА FIFA

Саид аль-Увайран в матче против Бельгии в одиночку расправился с командой соперника, что позволило его команде выйти в 1/8 финала и сделало его национальным героем на родине.

FIFA WORLD CUP HERO

Again, Al-Owairan gets the glory here as his quite stunning effort against Belgium secured their place in the round of 16 and made him a national hero.

САУДОВСКАЯ АРАВИЯ - SAUDI ARABIA

КЛЮЧЕВОЕ ТРИО / THE KEY THREE

ТАИСИР АЛЬ-ДЖАССИМ

Лучший игрок 2012 года в Саудовской Аравии — один из ключевых футболистов национальной команды. Атакующий полузащитник провёл свыше 100 матчей за сборную, что подтверждает его надёжность и высокий уровень.

Он забил шесть голов за Саудовскую Аравию в отборочной кампании к Чемпионату мира FIFA и рассчитывает забить в России.

TAISIR AL JASSAM

The 2012 Saudi Arabia Footballer of the Year is one of the lynchpins of the national side and the attacking midfielder has played over 100 times for his country, a sure sign of his dependability and talent.

He scored six goals during Saudi's FIFA World Cup™ qualifying campaign and will look for even more in Russia.

МУХАММАД АЛЬ-САХЛАВИ

Аль-Сахлави — игрок, на которого в сборной Саудовской Аравии рассчитывают в первую очередь, когда речь заходит о забитых голах. Нападающий стал лучшим бомбардиром отборочного этапа Чемпионата мира FIFA, забив 16 мячей, в том числе оформив два хет-трика в ворота Восточного Тимора.

Если саудовцам удастся снабжать его мячом в чужой штрафной площади, голы практически гарантированы.

MOHAMMED AL-SAHLAWI

Al-Sahlawi is the man Saudi Arabia look to for their goals.

The striker was the leading scorer in the FIFA World Cup™ qualifying campaign with an incredible 16 strikes, including two hat-tricks against Timor Leste in their two fixtures.

If Saudi Arabia can get him into the right positions, goals are virtually guaranteed.

УСАМА ХАВСАВИ

Опытный защитник Усама Хавсави провёл более 100 матчей за национальную команду, в которой он дебютировал в 2007 году.

Высокий и мощный игрок «Аль-Хиляля» не только хорош в обороне, но и опасен у чужих ворот при стандартных положениях.

Хавсави был частью команды, которая дошла до финала Кубка Азии в 2007 году, это лидер сборной, которого уважают и ценят партнёры.

OSAMA HAWSAWI

Veteran defender Osama Hawsawi has won over a century of caps and first played for his national side in 2007.

The Al-Hilal performer is tall and imposing but can also offer a goal threat himself from set-pieces.

He was a member of the Saudi side that were runners-up at the AFC Asian Cup in 2007 and is a player and leader widely respected in the Saudi set-up.

НАИВЫСШЕЕ ДОСТИЖЕНИЕ НА ЧМ
BEST WORLD CUP PERFORMANCE
1/8 ФИНАЛА, 1994
ROUND OF 16, 1994

СЫГРАНО МАТЧЕЙ НА ЧМ
WORLD CUP FINALS MATCHES PLAYED
13

ЗАБИТО ГОЛОВ НА ЧМ
WORLD CUP FINALS GOALS SCORED
9

ЕГИПЕТ - EGYPT

ЕГИПЕТ

EGYPT

СТАТИСТИКА
ALL-TIME STATS

Наибольшее число игр: Ахмад Хасан (184)
Лучший бомбардир: Хусам Хасан (69)
Прозвище: *фараоны*
Наивысший рейтинг FIFA: 9 (январь-сентябрь 2010, декабрь 2010)
Самая крупная победа: 15:0 над Лаосом, 15 ноября 1963

Most caps: Ahmed Hassan (184)
Most goals: Hossam Hassan (69)
Nickname: *The Pharaohs*
Highest FIFA ranking: 9th (January-September 2010, December 2010)
Biggest win: 15-0 v. Laos, 15 November 1963

RU **Каждая страна счастлива квалифицироваться на Чемпионат мира FIFA, но лишь немногие отпраздновали этот успех так широко, как Египет, когда сборной после долгого перерыва удалось вернуться на турнир.**

Радость игроков и болельщиков после победы над Конго, которая принесла долгожданную путёвку на Чемпионат мира FIFA, была неописуемой. Результат работы, проделанной Эктором Купером на посту тренера сборной, очень впечатляет.

Впервые с 1990 года Египет отправляется на Чемпионат мира FIFA. За эти тридцать лет египетский футбол пережил тяжёлые и даже трагические события, , но сейчас на лица болельщиков вернулись улыбки.

Им есть чем гордиться, ведь Мохамед Салах — один из лучших форвардов мира, сборная Египта показывает яркий, атакующий красивый футбол, а Египет стал одной из сильнейших команд Африки.

EN **Every country loves qualifying for a FIFA World Cup™ but few can say they celebrated as long and hard as Egypt when they finally ended their long wait to return to international football's greatest event.**

When a victory over Congo secured Egypt's passage to Russia, the sense of excitement across the country was there for all to see and the job Héctor Cúper has done in securing the *Pharaohs* their spot at the tournament is deeply impressive.

This will be Egypt's first FIFA World Cup since the 1990 edition and that near three-decade wait has seen Egyptian football suffer some tough and tragic moments, but the country can once again smile.

They can also cheer as Mo Salah is one of the world's greatest players, Egypt are attacking, competitive and passionate and the *Pharaohs* are one of African football's finest assets.

ЕГИПЕТ

ЛУЧШИЙ МОМЕНТ НА ЧЕМПИОНАТЕ МИРА FIFA

Когда на Чемпионате мира по футболу FIFA 1990™ Египет встречался с Нидерландами, считалось, что он ничего не сможет противопоставить команде, за которую играли Рональд Куман, Рууд Гуллит и Марко ван Бастен. Однако, Махмуд аль-Гохари организовал игру своей команды в обороне так, что звёздная атака голландцев не смогла добиться победы.

BEST FIFA WORLD CUP MOMENT

When Egypt faced the Netherlands at the 1990 FIFA World Cup™, they were expected to struggle against a Dutch side crammed with stars like Ronald Koeman, Ruud Gullit and Marco van Basten, but Mahmoud El-Gohary had set his side up to be tough defensively and they battled brilliantly to secure a draw against their heavily favoured opponents.

ГЕРОЙ ЧЕМПИОНАТА МИРА FIFA

Магди Абдельгани забил гол в ворота Нидерландов и был одним из лидеров сборной Египта. Его мяч с пенальти в ворота голландцев стал единственным голом, забитым египетской командой на турнире 1990 года.

FIFA WORLD CUP HERO

Magdi Abdelghani was the scorer against the Netherlands and the sometime captain of his national side. His penalty against the Netherlands was Egypt's only goal of the 1990 tournament.

ВЫХОД НА ЧЕМПИОНАТ МИРА FIFA
FIFA WORLD CUP CLINCHER

Отборочная кампания Египта получилась достаточно спокойной. В своей группе команда обошла Уганду, Гану и Конго и с 13 очками заняла первое место, на четыре очка опередив Уганду. Победа над Конго в предпоследнем матче, добытая благодаря дублю Салаха, позволила египтянам получить путёвку в Россию.

Хотя на 87-й минуте сборная Конго сравняла счёт, едва не заставив египтян отложить праздник, победный пенальти Салаха в добавленное время решил исход матча.

Egypt enjoyed a fairly smooth 2018 FIFA World Cup™ passage, overcoming Uganda, Ghana and Congo to finish qualifying with 13 points, four more than Uganda. A win over Congo in their penultimate match, clinched thanks to a Mo Salah brace, was enough to send them on their way to Russia.

An 87th-minute equaliser for Congo put a spanner in the works but Salah's injury-time penalty was decisive.

ГЛАВНЫЙ ТРЕНЕР
THE COACH

Эктор Купер

Эктор Купер возглавляет сборную Египта с марта 2015 года, и, хотя поначалу к нему относились настороженно, он сумел завоевать расположение болельщиков.

Бывший тренер сборной Грузии сумел выжать всё из атакующего потенциала «фараонов». Команда под его началом едина как никогда.

Он вывел сборную в финал Кубка африканских наций 2017 года. Она уступила Камеруну, но Купер потребовал, чтобы игроки поскорее забыли о поражении. В итоге египтяне собрались с силами и добыли билет на Чемпионат мира FIFA в России.

Héctor Cúper

Héctor Cúper has been in charge since March 2015 and although his initial reception was somewhat muted, he is now a national hero in Egypt.

The former Georgia manager has done a superb job in squeezing every last bit of talent from the *Pharaohs'* squad and he has a united side at his disposal.

He led them to the 2017 Africa Cup of Nations final, where they lost to Cameroon, yet he immediately demanded that his side show their mental strength to recover – and they have done just that.

EGYPT

А ГРУППА GROUP

КЛЮЧЕВОЕ ТРИО / THE KEY THREE

МОХАММЕД ЭЛЬ-НЕННИ

В последние несколько сезонов опорный полузащитник эль-Ненни стал одним из важнейших игроков лондонского «Арсенала».

Его труд нередко остаётся без должного внимания, но он очень трудолюбив и успешно справляется с тем, чтобы останавливать атаки соперников как «Арсенала», так и сборной Египта.

MOHAMED ELNENY

Elneny has become an integral member of Arsenal's squad in the last few seasons due to his hard work in defensive midfield positions.

His efforts often go unnoticed but he works hard for his team, covers plenty of ground and specialises in breaking up opposition attacks and helping Arsenal – and Egypt – pour forward in attack.

НАИВЫСШЕЕ ДОСТИЖЕНИЕ НА ЧМ
BEST WORLD CUP PERFORMANCE
ГРУППОВОЙ ЭТАП, 1934, 1990
GROUP STAGE, 1934, 1990

СЫГРАНО МАТЧЕЙ НА ЧМ
WORLD CUP FINALS MATCHES PLAYED
4

ЗАБИТО ГОЛОВ НА ЧМ
WORLD CUP FINALS GOALS SCORED
3

МОХАМЕД САЛАХ

В свой первый сезон в «Ливерпуле» Мохамед Салах показал такой футбол, что в Англии все говорили только о нём.

В минувшей кампании Салах блестяще проявил себя на «Энфилде» и, получая мяч, забивал почти в каждом матче. Он также здорово играет за сборную и был признан Лучшим игроком Африки.

MOHAMED SALAH

Salah has been the name on everybody's lips in England in the past 12 months thanks to his scintillating form for Liverpool.

Salah lit Anfield up last season and seemed destined to score nearly every time he got the ball. If he can transfer his wonderful domestic form to the international side, the current African Footballer of the Year will be one to watch.

ЭССАМ АЛЬ-ХАДАРИ

Лишь немногие игроки могут похвастаться такой продолжительной и интересной карьерой в сборной, как Эссам аль-Хадари, дебютировавший в 1996 году.

Четырёхкратный обладатель Кубка африканских наций завершил международную карьеру в 2013 году, но позднее решил вернуться. Если он сыграет в России, то станет самым возрастным участником Чемпионатов мира FIFA в истории.

ESSAM EL-HADARY

There can be few international players in history whose career is as interesting and long as Egypt goalkeeper and captain Essam El-Hadary, who made his international debut in 1996.

The four-time Africa Cup of Nations winner retired from *Pharaohs* duty in 2013 but then reversed his decision. Aged 45, he will be the oldest-ever FIFA World Cup™ player if he appears in Russia.

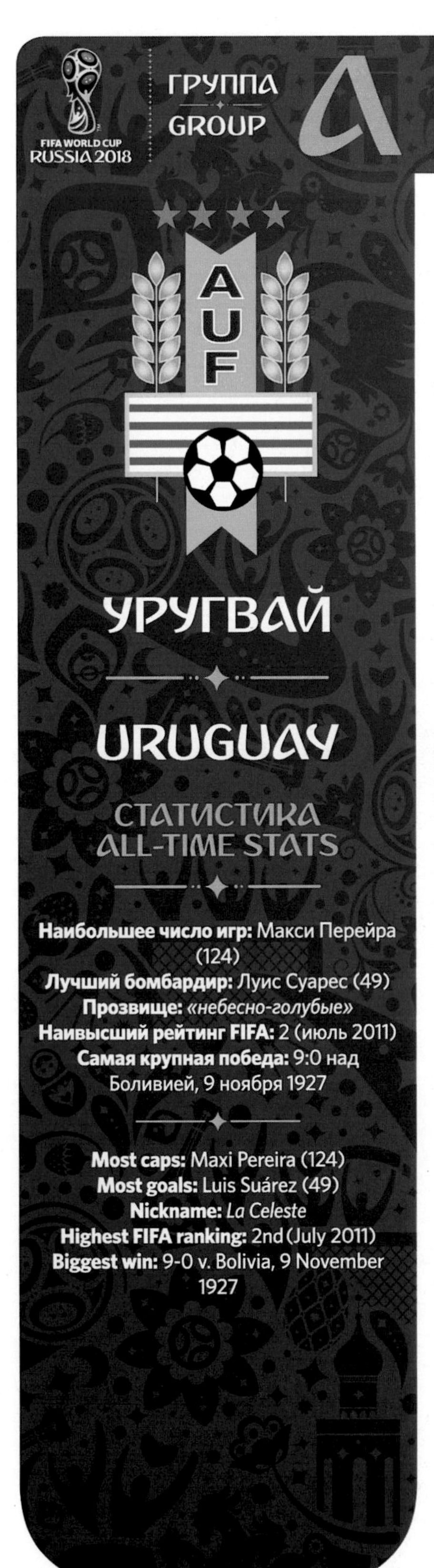

УРУГВАЙ

УРУГВАЙ

URUGUAY

СТАТИСТИКА
ALL-TIME STATS

Наибольшее число игр: Макси Перейра (124)
Лучший бомбардир: Луис Суарес (49)
Прозвище: *«небесно-голубые»*
Наивысший рейтинг FIFA: 2 (июль 2011)
Самая крупная победа: 9:0 над Боливией, 9 ноября 1927

Most caps: Maxi Pereira (124)
Most goals: Luis Suárez (49)
Nickname: *La Celeste*
Highest FIFA ranking: 2nd (July 2011)
Biggest win: 9-0 v. Bolivia, 9 November 1927

RU **Уругвай — команда, которая выиграла первый в истории розыгрыша Чемпионата мира FIFA в 1930 году и повторила успех двадцать лет спустя. Когда у неё идёт игра, сборная Уругвая непобедима.**

В её составе выступают одни из лучших форвардов мира Луис Суарес и Эдинсон Кавани, и хотя успехи на Чемпионатах мира FIFA остались в далёком прошлом, достижения команды в Кубке Америки показывают, что с ней необходимо считаться.

Уругвай располагает отличными футболистами во всех линиях, начиная с Диего Година в защите и Николаса Лодейро в полузащите и заканчивая звёздной атакой. «Небесно-голубым» достаточно мгновения, чтобы провести молниеносную атаку и забить гол.

Сборная Уругвая — один из фаворитов на выход из группы А, и болельщики команды отлично знают, что у команды есть всё, чтобы далеко продвинуться по сетке турнира и, кто знает, быть может даже выиграть его.

EN **The inaugural FIFA World Cup™ winners back in 1930 - and victors again 20 years later - can be one of the most devastating sides in the world on their day.**

They are blessed with some of the world's most devastating strikers, such as Luis Suárez and Edinson Cavani and although FIFA World Cup success now feels like a very long time ago, their superb record in *Copa América* finals underlines just what a force they have been in South America.

Uruguay have top-quality performers all over the pitch, from Diego Godín in defence through Nicolás Lodeiro in midfield all the way to the aforementioned front men, who only need a millisecond to cause real trouble.

Uruguay are one of the favourites to escape from Group A and know they have the tools required to go far in the 2018 FIFA World Cup™ and, just perhaps, go all the way. *La Celeste* are excited at what Russia may bring.

URUGUAY

ВЫХОД НА ЧЕМПИОНАТ МИРА FIFA
FIFA WORLD CUP CLINCHER

В отборочной группе КОНМЕБОЛ Уругвай финишировал вторым вслед за далеко оторвавшимися от преследователей бразильцами и провёл довольно спокойную кампанию.

Три победы на старте турнира позволили уругвайцам взять хороший темп. После семи побед в первых одиннадцати матчах казалось, что им ничего не угрожает, но затем последовали три поражения подряд.

Только победа над Парагваем в сентябре прошлого года гарантировала сборной Уругвая место в четвёрке и путёвку на Чемпионат мира по футболу FIFA в России.

Uruguay finished their CONMEBOL qualification campaign in second place behind heavy favourites Brazil and enjoyed a relatively drama-free passage to Russia.

Three early victories helped their cause and with seven wins in the first 11 matches, Uruguay looked well set until they lost three times on the trot.

A victory over Paraguay last September finally secured their runners-up position and subsequent ticket to the finals.

ГЛАВНЫЙ ТРЕНЕР
THE COACH

Оскар Табарес

Оскар Табарес — один из наиболее уважаемых и опытных тренеров, работающих со сборными, и несложно понять, почему его так любят в Уругвае.

Это уже не первое его появление на тренерском посту «небесно-голубых» и, хотя это кажется невероятным, Чемпионат мира по футболу FIFA 2018 станет для него четвёртым у руля сборной Уругвая.

Табарес руководил этой командой в почти 200 матчах, и, делая упор на атаку, он умеет использовать невероятный атакующий потенциал сборной по максимуму.

Óscar Tabárez

Óscar Tabárez is one of the most widely respected and experienced managers in international football and it is not difficult to see why he is treated with such reverence in Uruguay.

He has coached the national side in two separate spells and, incredibly enough, the 2018 FIFA World Cup will be his fourth finals as the man in charge of Uruguay.

He has coached the national side in nearly 200 matches and Tabárez loves to utilise Uruguay's striking prowess to its maximum.

ЛУЧШИЙ МОМЕНТ НА ЧЕМПИОНАТЕ МИРА FIFA

Победа на Чемпионате мира по футболу FIFA 1930™ на глазах собственных болельщиков — невероятный успех, но выиграть трофей снова двадцать лет спустя да ещё и в матче против Бразилии в Рио-де-Жанейро — ещё более значительное и приятное достижение.

BEST FIFA WORLD CUP MOMENT

Winning the 1930 FIFA World Cup™ on home soil was some achievement but to repeat the feat 20 years on, against South American rivals and football powerhouse Brazil in Rio de Janeiro, was even more impressive.

ГЕРОЙ ЧЕМПИОНАТА МИРА FIFA

Пять голов Педро Сеа на Чемпионате мира по футболу FIFA 1930™ сыграли ключевую роль в успехе Уругвая на турнире, но важнейшим из всех стал его мяч в ворота Аргентины в финале. Хозяева уступали 1:2, когда Сеа сравнял счёт. В итоге уругвайцы забили ещё два гола и победили (4:2).

FIFA WORLD CUP HERO

Pedro Cea's five goals in the 1930 FIFA World Cup™ were absolutely crucial to *La Celeste's* success and his goal in the final against Argentina, when he equalised to make it 2-2 before Uruguay went on to win 4-2, was particularly important.

КЛЮЧЕВОЕ ТРИО / THE KEY THREE

ЭДИНСОН КАВАНИ

Кавани — форвард, на протяжении многих лет демонстрирующий высокую результативность. Он может стать одним из самых ярких нападающих на Чемпионате мира по футболу FIFA 2018™.

Нападающий «Пари Сен-Жермен» стал лучшим бомбардиром в отборочном турнире КОНМЕБОЛ, забив десять мячей. Вместе с Луисом Суаресом Кавани способен сеять хаос в рядах защитников.

EDINSON CAVANI

Frighteningly consistent, strong and determined, Cavani promises to be one of the outstanding goal threats at the 2018 FIFA World Cup™.

The Paris Saint-Germain forward scored the most goals in the South American qualifying rounds with an incredible ten strikes. Alongside Luis Suárez, Cavani is capable of causing chaos and his decade of international recognition has seen him score many crucial goals.

ФЕДЕРИКО ВАЛЬВЕРДЕ

Хотя Вальверде ещё очень молод, он оправдывает доверие, которое ему оказывает главный тренер Уругвая Оскар Табарес.

19-летний футболист только начинает свою карьеру как на клубном уровне, так и на уровне сборных, но у центрального полузащитника есть всё, чтобы ярко проявить себя в России.

FEDERICO VALVERDE

Valverde may only be young, but he has been thrust into the Uruguay team by Óscar Tabárez and he is yet to let his national side down.

The 19-year-old is at the very start of his career – both domestically and on the international stage – but the central midfielder has all the tools necessary to shine in Russia.

ЛУИС СУАРЕС

Хотя иногда Луис Суарес вызывает жгучие споры, одно можно сказать точно — это потрясающий бомбардир.

Центральный нападающий «Барселоны» — игрок, который по-настоящему живёт футболом. Кроме того, он способен забивать голы на любой вкус. Суарес — мечта любого тренера.

LUIS SUÁREZ

Suárez is a man who divides opinion at times but what is not up for debate is just how wonderful a goalscorer he is.

The Barcelona centre-forward is as passionate and committed a footballer as it is possible to be.

On top of that, he can score all types of goals. He is a manager's dream.

НАИВЫСШЕЕ ДОСТИЖЕНИЕ НА ЧМ
BEST WORLD CUP PERFORMANCE
ЧЕМПИОН, 1930, 1950
WINNERS, 1930, 1950

СЫГРАНО МАТЧЕЙ НА ЧМ
WORLD CUP FINALS MATCHES PLAYED
51

ЗАБИТО ГОЛОВ НА ЧМ
WORLD CUP FINALS GOALS SCORED
80

ere to support your love for football.
Hyundai Motorstudio Moscow

orldcup.hyundai.com

ГРУППА
GROUP
B

ПОРТУГАЛИЯ

ПОРТУГАЛИЯ

PORTUGAL

СТАТИСТИКА
ALL-TIME STATS

Наибольшее число игр: Криштиану Роналду (147)
Лучший бомбардир: Криштиану Роналду (79)
Прозвище: *«команда избранных»*
Наивысший рейтинг FIFA: 3 (май — июнь 2010, октябрь 2012, апрель — июнь 2014, сентябрь 2017)
Самая крупная победа: 8:0 над Лихтенштейном, 18 ноября 1994 и 9 июня 1999, 8:0 над Кувейтом, 19 ноября 2003

Most caps: Cristiano Ronaldo (147)
Most goals: Cristiano Ronaldo (79)
Nickname: *Seleção das Quinas* (National Team of the "Quinas")
Highest FIFA ranking: 3rd (May - June 2010, October 2012, April - June 2014, September 2017)
Biggest win: 8-0 v. Liechtenstein, 18 November 1994 and 9 June 1999, 8-0 v. Kuwait, 19 November 2003

RU **Долгие годы, когда дело доходило до выступлений на высочайшем уровне мирового футбола, Португалии не удавалось проявить себя.**

Однако, те времена остались позади и на Чемпионате мира по футболу FIFA 2018™ Португалия будет силой, с которой необходимо считаться.

Всё изменилось благодаря потрясающей победе, которую португальцы одержали на Чемпионате Европы по футболу УЕФА 2016. Это был триумф Фернанду Сантуша и его игроков.

Достаточно одного взгляда на состав португальской сборной, чтобы понять, что это сбалансированная команда, хорошо играющая в защите и располагающая гением Криштиану Роналду в атаке. Один из лучших футболистов мира в истории способен потеснить даже легендарного Эйсебио в борьбе за любовь своих соотечественников.

После пьянящего успеха 2016 года сборная Португалии горит желанием покорить вершину Чемпионата мира по футболу FIFA в России.

EN **For so long, when it came to the highest levels of international football, Portugal failed to deliver when it mattered most.**

However, those days are now in the past and they can be a real force to contend with at the 2018 FIFA World Cup™.

The change in their fortune and confidence was undoubtedly the superb victory at UEFA EURO 2016, which was the finest hour so far for Fernando Santos and his players.

One glance at the Portugal squad reveals a well-balanced team that is rock-solid in defence and has the magician and genius Cristiano Ronaldo within it. He is one of the finest players the game has ever seen and is on course to beat even the legendary Eusébio when it comes to capturing the hearts of his compatriots and supporters.

After tasting international success so recently, Portugal are going to be harder to beat than ever in Russia.

PORTUGAL

ВЫХОД НА ЧЕМПИОНАТ МИРА FIFA
FIFA WORLD CUP CLINCHER

С первого матча отборочной кампании Португалии пришлось идти в кильватере Швейцарии, сходу захватившей лидерство в группе. Остальные команды конкуренцию им составить не смогли.

В последнем матче швейцарцы встретились с португальцами в Лиссабоне. В этой игре решалась судьба прямой путёвки на турнир. Хозяева победили со счётом 2:0 благодаря мячу Андре Силвы и автоголу и завоевали право сыграть на Чемпионате мира по футболу FIFA 2018™.

Portugal were caught in Switzerland's qualification slipstream in the race to Russia and the two sides fought it out at the top of an otherwise straightforward group.

When Switzerland visited Portugal for the final qualifier, the winner would qualify automatically and it was Portugal, thanks to an own goal from Johan Djourou and a finish from André Silva, who secured a 2-0 win and a ticket to the 2018 FIFA World Cup.

ГЛАВНЫЙ ТРЕНЕР
THE COACH

Фернанду Сантуш

Для португальцев Фернанду Сантуш, с которым сборная два года назад завоевала свой первый титул чемпиона Европы, уже стал настоящей легендой. Сантуш обладает обширным тренерским опытом. С 2010 по 2014 годы он руководил сборной Греции, а также выиграл пять трофеев с «Порту». Так что он умеет добиваться успеха как на клубном уровне, так и со сборными.

У Сантуша есть в крови интерес к познанию нового. До того, как стать тренером, он получил научную степень в области прикладных наук.

Fernando Santos

Fernando Santos is already a legend on home soil after guiding Portugal to their maiden international tournament crown two years ago.

Santos picked up plenty of international experience as a manager when he coached Greece for four years between 2010 and 2014 and he also won five major titles with FC Porto to underline that his managerial style works as well domestically as it does internationally.

A keen student of the game, he also studied electrical and telecommunications engineering, gaining a degree in 1977.

ЛУЧШИЙ МОМЕНТ НА ЧЕМПИОНАТЕ МИРА FIFA

Криштиану Роналду выдержал паузу и забил победный пенальти в ворота Англии в серии одиннадцатиметровых в напряжённом и драматичном четвертьфинале Чемпионата мира по футболу FIFA 2006™.

BEST FIFA WORLD CUP MOMENT

Cristiano Ronaldo holding his nerve long enough to score the winning penalty against England in their quarter-final at the 2006 FIFA World Cup™, capping off an evening of high tension and drama.

ГЕРОЙ ЧЕМПИОНАТА МИРА FIFA

Этого звания достоин только один игрок — Эйсебио. Забитые им девять голов на Чемпионате мира по футболу FIFA 1966™ принесли ему Золотую бутсу и позволили стать героем миллионов болельщиков со всего мира.

FIFA WORLD CUP HERO

There can only be one man: Eusébio. His nine goals at the 1966 FIFA World Cup™ won him the Golden Boot and made him an icon around the world.

ПОРТУГАЛИЯ - PORTUGAL

КЛЮЧЕВОЕ ТРИО / THE KEY THREE

АНДРЕ СИЛВА

Хотя 22-летний Андре Силва всё ещё молод, он обладает талантом настоящего голеодора и большим опытом.

На Чемпионате мира по футболу FIFA 2018™ он может стать идеальным партнёром для Криштиану Роналду, но будет рад, если ему удастся заявить о себе на турнире во весь голос.

ANDRÉ SILVA

André Silva may only be a young man at just 22 but his eye for goal and confidence at international level is already well established.

He could be the perfect partner for Cristiano Ronaldo at the 2018 FIFA World Cup, although all the signs suggest he is already more than happy to make the headlines himself.

ПЕПЕ

Пепе — защитник, известный своей самоотдачей, великолепной физической подготовкой и жёсткими действиями в отборе мяча.

35-летний футболист провёл почти 100 матчей за национальную команду. После десяти лет выступлений за мадридский «Реал» теперь он играет за «Бешикташ».

PEPE

Pepe is a throwback-style defender, who is renowned for his uncompromising physicality and his tough tackling.

The 35-year-old has played nearly 100 times for his country and is a respected veteran who spent the past season at Beşiktaş after a decade with the mighty Real Madrid.

КРИШТИАНУ РОНАЛДУ

Что ещё можно сказать о Криштиану Роналду? Это великолепный футболист, 90 минут игры против которого для защитников становятся настоящим кошмаром.

Он без устали штампует голы за мадридский «Реал» и является настоящим сердцем португальской команды. Это по-настоящему великий игрок.

CRISTIANO RONALDO

What else is there to be said about Ronaldo? He is simply a breathtaking footballer who causes defenders headaches for 90 minutes and beyond.

His goalscoring rate at Real Madrid has been sublime and he is the heartbeat and main threat in the Portugal team. A true, genuine, all-time great.

НАИВЫСШЕЕ ДОСТИЖЕНИЕ НА ЧМ
BEST WORLD CUP PERFORMANCE
3-Е МЕСТО, 1966
THIRD, 1966

СЫГРАНО МАТЧЕЙ НА ЧМ
WORLD CUP FINALS MATCHES PLAYED
26

ЗАБИТО ГОЛОВ НА ЧМ
WORLD CUP FINALS GOALS SCORED
43

ГРУППА · GROUP B

ИСПАНИЯ

ИСПАНИЯ

SPAIN

СТАТИСТИКА ALL-TIME STATS

Наибольшее число игр: Икер Касильяс (167)
Лучший бомбардир: Давид Вилья (59)
Прозвище: *«красная фурия»*
Наивысший рейтинг FIFA: 1 (июль 2008 — июнь 2009, октябрь 2009 — март 2010, июль 2010 — июль 2011, октябрь 2011 — июль 2014)
Самая крупная победа: 13:0 над Болгарией, 21 мая 1933

Most caps: Iker Casillas (167)
Most goals: David Villa (59)
Nickname: *La Roja* (The Reds)
Highest FIFA ranking: 1st (July 2008 - June 2009, October 2009 - March 2010, July 2010 - July 2011, October 2011 - July 2014)
Biggest win: 13-0 v. Bulgaria, 21 May 1933

RU **Одержав потрясающую победу на Чемпионате мира по футболу FIFA 2010™, сборная Испании смогла, наконец, дать достойный ответ критикам, утверждавшим, что она неспособна добиваться успеха на высшем уровне.**

Победа на турнире пришлась на золотую эпоху команды Луиса Арагонеса и, затем, Висенте Дель Боске. За четыре года испанцы выиграли всё, что только возможно, включая Чемпионаты Европы по футболу УЕФА 2008 и 2012 года.

Хотя с тех пор Испании не удавалось достичь тех же высот, «красная фурия» продолжает оставаться одной из лучших команд планеты. Одно удовольствие наблюдать за её атакующим стилем, построенном на хорошей физической подготовке.

После Чемпионата Европы по футболу УЕФА 2016 Дель Боске оставил свой пост, и хотя испанская сборная под руководством нового наставника Хулена Лопетеги продолжает поиски своего нового «я», нет сомнений, что это одна из самых сильных команд, которые едут в Россию.

EN **Spain's stunning victory at the 2010 FIFA World Cup™ finally answered all their critics and all the questions about whether they would ever manage to succeed at the very highest level.**

That tournament win was part of a golden period for Spain as Luis Aragonés and Vicente del Bosque oversaw a side that won everything in sight during a four-year period that also included wins at UEFA EURO 2008 and UEFA EURO 2012.

Although that high point may not have been extended to recent years, *La Roja* are still one of the greatest footballing teams on the planet and watching their style, athleticism and attacking philosophy is one of the sporting world's great joys.

Del Bosque left his position after UEFA EURO 2016 and although Spain are still forging a new and bold identity under new manager Julen Lopetegui, there is little doubt that they will be one of the most dangerous - and exciting - sides on display in Russia.

SPAIN

ВЫХОД НА ЧЕМПИОНАТ МИРА FIFA
FIFA WORLD CUP CLINCHER

Немного найдётся команд, которые квалифицируются с такой лёгкостью, как это делает Испания. Достаточно сказать, что вот уже больше 25 лет испанцы не проигрывают в матчах отборочного турнира к Чемпионату мира FIFA!

Их беспроигрышная серия составляет уже 63 матча — невероятное достижение. Путёвку в Россию сборная Испании получила после победы над Албанией в октябре прошлого года.

Few sides in the world qualify for major tournaments with the same panache as Spain and, incredibly enough, they have not been beaten in a FIFA World Cup™ qualifying match for over a quarter of a century!

Their run of 63 unbeaten matches is a phenomenal record and qualification for Russia ran as smoothly as ever, as they came top of Group G, culminating in a win over Albania last October.

ТРЕНЕР
THE COACH

Хулен Лопетеги

Не так просто сменить на посту легендарного тренера, чтобы это осталось незамеченным. Должно быть это стоило Хулену Лопетеги бессонных ночей, но теперь он может с полным правом называть нынешнюю сборную Испании своей.

Бывший тренер молодёжной сборной полон решимости сделать так, чтобы его прежние подопечные получили шанс в первой команде. Хорошее знание молодых игроков — отличный козырь в работе тренера.

Лопетеги — большой специалист в области тактики, который старается сохранить атакующую философию сборной Испании.

Julen Lopetegui

Filling the boots of a managerial legend such as Vicente del Bosque must have given Julen Lopetegui some sleepless nights but he has made the Spanish job – and the squad – his own.

The former Spain youth team manager is determined to give his former charges their chance in Spain's first team and his knowledge of the young talent coming through the ranks is undoubtedly an asset.

He is also a fine tactical manager and is keen to continue Spain's entertaining, goalscoring philosophy.

ЛУЧШИЙ МОМЕНТ НА ЧЕМПИОНАТЕ МИРА FIFA

Когда 11 июля 2010 года рефери дал финальный свисток в матче в Йоханнесбурге, долгое ожидание Испании было окончено — команда впервые в истории стала чемпионом мира.

BEST FIFA WORLD CUP MOMENT

When Howard Webb blew the final whistle in Soccer City, Johannesburg on 11 July 2010, the long wait for Spain to become FIFA World Cup winners was finally over.

ГЕРОЙ ЧЕМПИОНАТА МИРА FIFA

Андрес Иньеста был невероятно хладнокровен, когда забил победный гол в ворота Нидерландов в финале Чемпионата мира по футболу FIFA 2010.

FIFA WORLD CUP HERO

Andrés Iniesta was the coolest man on the pitch when he scored the winner against the Netherlands in the final of the 2010 FIFA World Cup.

ИСПАНИЯ - SPAIN

КЛЮЧЕВОЕ ТРИО / THE KEY THREE

ДАВИД ДЕ ХЕА

То, что Давид Де Хеа в последние несколько лет является лучшим игроком «Манчестер Юнайтед», подчёркивает, что сильно он вырос как футболист. Он стабильно показывает надёжную зрелую игру и здорово действует на линии ворот.

На данный момент Де Хеа, возможно, является лучшим голкипером мира и в ближайшие годы будет оставаться первым номером испанской сборной.

DAVID DE GEA

The way De Gea has become a Manchester United great in recent seasons underlines just how wonderful a goalkeeper he has become.

His consistency, athleticism, maturity and shot-stopping skills have all become widely admired at Old Trafford and beyond.

He is arguably the greatest goalkeeper in the world and will be Spain's first-choice goalkeeper for years to come.

АЛЬВАРО МОРАТА

Мората — великолепный центральный нападающий.

Он обладает всеми необходимыми качествами и не только забивает голы, но и занимается черновой работой, растягивая оборону соперника и создавая тем самым пространство для других игроков.

Мората хладнокровен, когда выходит один на один с вратарём, и всегда отдаст пас партнёру, если тот находится в более выгодной позиции.

ALVARO MORATA

Morata is a dream centre forward and the complete player.

He loves to score goals but he also relishes the less glamorous side of the job as well, running behind defenders and chasing down balls in order to create space for his team-mates.

He is ruthless but unselfish and particularly cool in one-on-one situations. He should be at his best in Russia.

ДАВИД СИЛЬВА

Давид Сильва входит в число лучших футболистов планеты.

Игрок «Манчестер Сити» способен отдать пас, который другому покажется невозможным, обыграть защитника один в один и забить гол.

Когда Сильва получает мяч, ни один защитник соперника не сможет предсказать, что он сделает дальше.

DAVID SILVA

David Silva is among the finest footballers on the planet.

The Manchester City attacker seems to be able to spot a pass that is not there, he can beat defenders, score goals and is a superbly unselfish player.

When he gets the ball, no opposition defender quite knows what he is going to do with it.

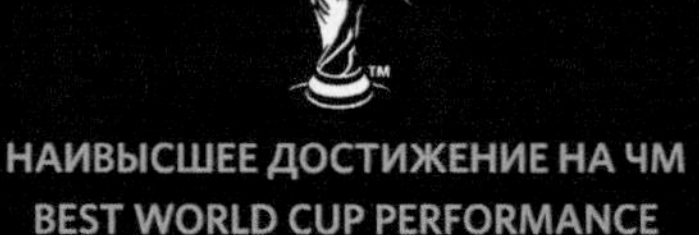

НАИВЫСШЕЕ ДОСТИЖЕНИЕ НА ЧМ
BEST WORLD CUP PERFORMANCE
ЧЕМПИОН, 2010
WINNERS 2010

СЫГРАНО МАТЧЕЙ НА ЧМ
WORLD CUP FINALS MATCHES PLAYED
59

ЗАБИТО ГОЛОВ НА ЧМ
WORLD CUP FINALS GOALS SCORED
92

МАРОККО - MOROCCO

МАРОККО

MOROCCO

СТАТИСТИКА
ALL-TIME STATS

Наибольшее число игр: Нуреддин Найбет (115)
Лучший бомбардир: Ахмед Фарас (42)
Прозвище: *"атласские львы"*
Наивысший рейтинг FIFA: 10 (апрель 1998)
Самая крупная победа: 13:1 над Саудовской Аравией, 6 сентября 1961

Most caps: Noureddine Naybet (115)
Most goals: Ahmed Faras (42)
Nickname: *Atlas Lions*
Highest FIFA ranking: 10th (April 1998)
Biggest win: 13-1 v. Saudi Arabia, 6 September 1961

RU **Два десятилетия пришлось ждать Марокко, чтобы вернуться на Чемпионат мира FIFA, поэтому полученную путёвку на турнир в России отмечала вся страна.**

Группа B — очень сложная, и «атласские львы» понимают, как непросто им будет выйти в плей-офф, но после успеха в отборочной кампании они не намерены останавливаться.

Пока что выход в 1/8 финала в 1986 году — лучший результат Марокко на Чемпионатах мира FIFA, но сегодня за неё выступают такие игроки, как Мехди Бенатиа, Халид Бутаиб и Юнес Беланда, готовые удивить весь мир.

Их цель состоит в том, чтобы, как минимум, повторить достижение тридцатилетней давности. Они отважны, хорошо подготовлены и талантливы, на данный момент это одна из сильнейших команд Африки.

EN **Morocco have had to wait for two decades since they last played in a FIFA World Cup™ and they celebrated the end of that wait with plenty of parties, just as they should.**

Group B poses a lot of questions for the *Atlas Lions* and they know they will have a tough tournament on their hands but, having made it this far, they are in no mood to stop now.

A round-of-16 finish in 1986 is the furthest they have made it in a FIFA World Cup but a squad packed with consistent and entertaining performers such as Mehdi Benatia, Khalid Boutaïb and Younès Belhanda are ready and waiting to surprise the world of football.

They aim to help Morocco at least equal the achievement of 1986 and play with the type of commitment, physicality and verve that has seen them become one of Africa's most highly respected and feared teams.

ГРУППА
GROUP
B

МАРОККО

ЛУЧШИЙ МОМЕНТ НА ЧЕМПИОНАТЕ МИРА FIFA

На чемпионате мира по футболу FIFA 1986™ Марокко заняла первое место в группе F, включавшей Англию, Польшу и Португалию, – такого результата от неё не ожидал никто.

BEST FIFA WORLD CUP MOMENT

Topping Group F ahead of England, Poland and Portugal at the 1986 FIFA World Cup™ was a moment of pure joy for a nation not expected to challenge for the knockout stages.

ГЕРОЙ ЧЕМПИОНАТА МИРА FIFA

Два гола Абдерразака Хаири в победном матче против Португалии (3:1) на Чемпионате мира по футболу FIFA 1986™ вывели сборную Марокко в 1/8 финала. Для всех это стало сюрпризом.

FIFA WORLD CUP HERO

Abderrazak Khairi's two goals against Portugal in a 3-1 win at the 1986 FIFA World Cup™ sent Morocco into the round of 16 and caused a huge upset.

ВЫХОД НА ЧЕМПИОНАТ МИРА FIFA
FIFA WORLD CUP CLINCHER

Победы в гостях над Кот-д`Ивуаром со счётом 2:0 оказалось достаточно, чтобы обеспечить Марокко участие в Чемпионате мира FIFA. В решающем матче нервы марокканцев оказались крепче, чем у соперников.

В матче против ивуарийцев отличились Набиль Дирар и капитан Мехди Бенатиа. В итоге крепкая оборона и хорошая игра в атаке принесла Марокко путёвку на турнир в России.

A fine 2-0 win away from home against Côte d'Ivoire was enough to ensure Morocco's involvement at the 2018 FIFA World Cup™ as they held their nerve longer than their opponents in a winner-takes-all clash.

Nabil Dirar and captain Mehdi Benatia scored the goals against Côte d'Ivoire and Morocco's combination of a super-miserly defence and some clinical goalscoring ensured they would be joining the party in Russia.

ГЛАВНЫЙ ТРЕНЕР
THE COACH

Эрве Ренар

Эрве Ренар — единственный тренер, который выиграл Кубок африканских наций с двумя командами, и это уже многое говорит о нём.

Бывший наставник «Сошо» и «Лилля» выиграл турнир с Замбией в 2012 году и Кот-д`Ивуаром три года спустя, после чего возглавил Марокко и вывел сборную на Чемпионат мира по футболу FIFA 2018 в России.

Ренар — специалист, который требует от своих подопечных усердия и самоотдачи, и его методы, основанные на отменной физической готовности, определённо работают.

Hervé Renard

Hervé Renard is the only manager capable of boasting that he has enjoyed CAF Africa Cup of Nations glory with two sides and that alone shows his managerial prowess.

The former Sochaux and Lille manager won the tournament with Zambia in 2012 and Côte d'Ivoire three years later before joining Morocco and helping to steer them to Russia.

Renard is a real footballing character, he demands the best and complete commitment from his squad and his methods – and love of fitness – are clearly working.

MOROCCO

B ГРУППА / GROUP

КЛЮЧЕВОЕ ТРИО / THE KEY THREE

МЕХДИ БЕНАТИА

Бенатиа — защитник туринского «Ювентуса», который вот уже более десяти лет с успехом выступает за сильнейшие европейские клубы.

Он хорош в отборе, здорово играет головой и регулярно забивает важные голы.

MEHDI BENATIA

Benatia is a fine defender for Juventus in Italy's Serie A and he has also played - and impressed - all over Europe for ten years at a high level.

He is a strong tackler and header of the ball and can also provide a goal threat himself when the opportunity arises.

ХАКИМ ЗИЙЕХ

Полузащитник Хаким Зийех может стать одним из самых ярких игроков на Чемпионате мира FIFA. Его отличают умение отдать великолепный пас и выносливость.

На клубном уровне Зийех выступает в чемпионате Нидерландов — сперва он играл за «Херенвен», затем за «Твенте» и теперь за «Аякс». Он здорово исполняет штрафные удары и умеет взламывать оборону соперника.

HAKIM ZIYECH

Hakim Ziyech could really set the 2018 FIFA World Cup™ alight, as his delivery, stamina and all-round passing game are first class.

Ziyech made his name in the Netherlands with Heerenveen, Twente and Ajax, is particularly dangerous from free kicks and is sure to plague opposition defences from midfield.

МУНИР

Впервые вратарь Мунир сыграл за сборную Марокко в 2015 году. Со временем он стал ключевым игроком команды Ренара.

Он активно и умело руководит игрой своих защитников, хорошо играет на линии, а также обладает отличным пасом, помогая команде быстро переходить из обороны в атаку.

MUNIR

Goalkeeper Munir first played for his national side in 2015 and has slowly but surely become an integral part of Renard's squad.

He is a strong communicator and fine shot-stopper, and his impressive distribution also helps Morocco swiftly turn defence into attack.

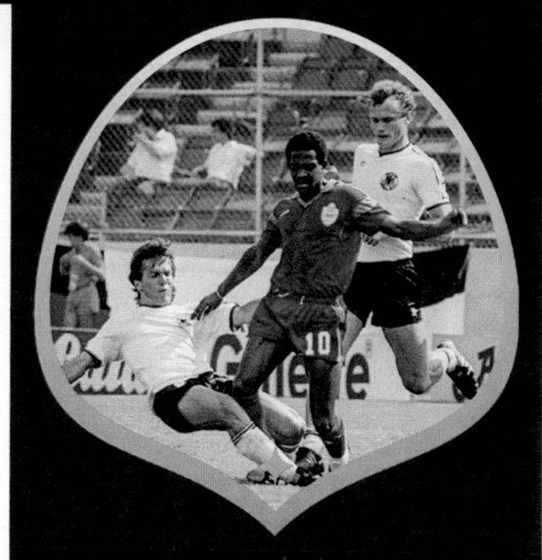

НАИВЫСШЕЕ ДОСТИЖЕНИЕ НА ЧМ
BEST WORLD CUP PERFORMANCE

1/8 ФИНАЛА, 1986
ROUND OF 16, 1986

СЫГРАНО МАТЧЕЙ НА ЧМ
WORLD CUP FINALS MATCHES PLAYED

13

ЗАБИТО ГОЛОВ НА ЧМ
WORLD CUP FINALS GOALS SCORED

12

ГРУППА
GROUP
B

И.Р. ИРАН

И.Р. ИРАН

IR IRAN

СТАТИСТИКА
ALL-TIME STATS

Наибольшее число игр: Джавад Некунам (151)
Лучший бомбардир: Али Даеи (109)
Наивысший рейтинг FIFA: 5 (август 2005)
Самая крупная победа: 19:0 над Гуамом, 24 ноября 2000

Most caps: Javed Nekounam (151)
Most goals: Ali Daei (109)
Nickname: *Team Melli* (National Team)
Highest FIFA ranking: 15 (August 2005)
Biggest win: 19-0 v. Guam, 24 November 2000

RU **Для И.Р. Иран турнир в России станет пятым Чемпионатом мира FIFA в истории и, как всегда, он наверняка доставит немало забот соперникам по группе.**

Сильной стороной этой сборной является надёжная игра в обороне. В квалификационной кампании она смогла 12 раз сохранить свои ворота в неприкосновенности. Это отлично показывает, как хорошо она действуют в разрушении.

Группу B никак не назвать простой, бороться за выход иранцы будут с Испанией, Португалией и Марокко. Все три великолепно укомплектованы, но Иран, которым руководит Карлуш Кейруш, вправе рассчитывать, что сможет выйти, как минимум, в 1/8 финала.

Действительно, только Бразилия квалифицировалась на Чемпионат мира по футболу FIFA 2018™ раньше, чем Иран. Азиатская сборная обладает хорошим составом, а такие игроки как Сердар Азмун и Мехди Тареми постараются заявить о себе как о лучших футболистах в истории иранского футбола.

EN **IR Iran will be competing in their fifth FIFA World Cup™ in Russia and, as always, they are likely to pose many difficult questions for the rest of their group.**

Their strength lies in their astonishing defensive prowess and they managed to keep a remarkable 12 clean sheets during their qualifying campaign, which underlines their ability to shut opposition attacks down.

Group B is by no means an easy group to qualify from as Spain, Portugal and Morocco all boast impressive players and plenty of international pedigree but the Iranians, led by manager Carlos Queiroz, have every reason to feel confident that they can succeed and make it to the round of 16 and beyond.

Indeed, after Brazil, they were the second-fastest country to secure their ticket to Russia, they have a settled squad and one that knows exactly what it is capable of, and the likes of Sardar Azmoun and Mehdi Taremi will be keen to cement themselves as IR Iran greats.

IR IRAN

ВЫХОД НА ЧЕМПИОНАТ МИРА FIFA
FIFA WORLD CUP CLINCHER

И.Р. Иран блестяще провёл отборочную кампанию и достаточно легко завоевал путёвку на Чемпионат мира по футболу FIFA 2018™.

Команда квалифицировалась на турнир в России ещё в июне прошлого года. Только Бразилия сумела сделать это раньше. В потрясающем матче на стадионе «Азади» И.Р. Иран обыграл Узбекистан со счётом 2:0 благодаря голам Сердара Азмуна и Мехди Тареми, и этого оказалось достаточно.

IR Iran were simply brilliant in their qualifying campaign and managed to secure a berth at the 2018 FIFA World Cup™ with some ease.

Indeed, they qualified for Russia way back in June last year and only Brazil beat them to it. In a great match at the Azadi Stadium in Tehran, they beat Uzbekistan 2-0 thanks to goals from Sardar Azmoun and Mehdi Taremi, and that proved to be enough.

ГЛАВНЫЙ ТРЕНЕР
THE COACH

Карлуш Кейруш

Португальский тренер стал известен широкой публике после того, как десять лет назад был назначен ассистентом Алекса Фергюсона в «Манчестер Юнайтед», но с тех пор Кейруш вышел из тени легендарного шотландца.

Никто не руководил сборной И.Р. Иран дольше, чем Кейруш, работающий с командой с 2011 года. Под его началом она впервые два раза подряд вышла на Чемпионат мира FIFA.

До того, как возглавить И.Р. Иран, Кейруш успел поработать со сборными Португалии, ЮАР и ОАЭ, а также лиссабонским «Спортингом» и мадридским «Реалом».

Carlos Queiroz

Queiroz rose to public prominence when he was Sir Alex Ferguson's assistant at Manchester United a decade ago but the likeable Portuguese has moved out of Ferguson's shadow now.

He is IR Iran's longest-serving manager, having been given the job in 2011, and he has now guided them to back-to-back FIFA World Cup tournaments.

As well as achieving success as IR Iran boss, Queiroz has also been a manager of Portugal, South Africa and the United Arab Emirates as well as Sporting Lisbon and Real Madrid.

ЛУЧШИЙ МОМЕНТ НА ЧЕМПИОНАТЕ МИРА FIFA

Когда Мехди Мандавикия выпрыгнул выше всех и забил в ворота США на Чемпионате мира по футболу FIFA 1998™. Гол оказался решающим (2:1) и принёс И.Р. Иран его первую победу на Чемпионатах мира FIFA.

BEST FIFA WORLD CUP MOMENT

When Mehdi Mahdavikia popped up and scored against the USA in their 1998 FIFA World Cup™ encounter. It would prove to be the decisive goal in a 2-1 win that earned IR Iran their maiden FIFA World Cup victory.

ГЕРОЙ ЧЕМПИОНАТА МИРА FIFA

Реза Гучаннеджад забил единственный гол И.Р. Иран на Чемпионате мира по футболу FIFA 2014™, и сейчас он снова в отличной форме. Для успеха национальной команды важно, чтобы Гучаннеджад снова проявил свои сильнейшие качества.

FIFA WORLD CUP HERO

Reza Ghoochannejhad scored IR Iran's only goal at the 2014 FIFA World Cup™ tournament but he is in fine form and in the squad for the 2018 edition. His longevity and importance to the national team is crucial to their success.

КЛЮЧЕВОЕ ТРИО / THE KEY THREE

СЕРДАР АЗМУН

Российским болельщикам Сардар Азмун хорошо известен по выступлениям в ФК «Рубин». На международной арене он впервые заявил о себе во весь голос на Кубке Азии 2015 года.

Азмун забивает с завидной регулярностью и отличается трудолюбием. Если всё сложится, 23-летнего игрока ждёт большое будущее.

SARDAR AZMOUN

Sardar Azmoun plays his domestic football at Rubin Kazan and burst onto the international scene at the 2015 AFC Asian Cup with some brilliant performances.

With a fine goals-to-games ratio and a willingness to work hard, the 23-year-old has a bright international future ahead of him.

НАИВЫСШЕЕ ДОСТИЖЕНИЕ НА ЧМ
BEST WORLD CUP PERFORMANCE

ГРУППОВОЙ ЭТАП, 1978, 1998, 2006, 2014
GROUP STAGE, 1978, 1998, 2006, 2014

АЛИРЕЗА ДЖАХАНБАХШ

Джаханбахш надеется, что на Чемпионате мира по футболу FIFA 2018™ ему представится шанс показать свои таланты широкой аудитории.

Полузащитник «АЗ» — великолепный игрок, способный играть на любом фланге. Он играл за сборную на Чемпионате мира по футболу FIFA 2014™ и на Кубке Азии 2015 года. Соперникам на турнире в России за ним нужен глаз да глаз.

ALIREZA JAHANBAKHSH

Jahanbakhsh will be hoping that the 2018 FIFA World Cup will be the tournament that showcases his superb skills to the highest possible audience.

The AZ Alkmaar midfielder is a wonderful player and is capable of playing on both wings. He played for IR Iran at the 2014 FIFA World Cup™ and the 2015 AFC Asian Cup and should be a huge threat.

СЫГРАНО МАТЧЕЙ НА ЧМ
WORLD CUP FINALS MATCHES PLAYED

12

САМАН ГОДДОС

Несмотря на то, что Саман Годдос родился в Швеции, в прошлом году он принял приглашение сборной И.Р. Иран и вполне может оказаться козырем Карлуша Кейруша в России. Это талантливый футболист, который доставит немало проблем защитникам соперника.

Он одинаково хорошо чувствует себя в роли атакующего полузащитника и форварда.

SAMAN GHODDOS

Despite being born in Sweden, Saman Ghoddos declared his allegiance to IR Iran last year and it could well be a Carlos Queiroz masterstroke as Ghoddos is a wonderfully balanced and exciting player who could really cause defenders trouble in Russia.

He is equally happy in attacking midfield or when playing as a striker.

ЗАБИТО ГОЛОВ НА ЧМ
WORLD CUP FINALS GOALS SCORED

7

Первый чемпион

Сборная Уругвая стал первым победителем Чемпионат мира FIFA, выиграв домашний турнир 1930 года. В финале была повержена Аргентина со счетом 4:2. Последний гол в этой встрече забил Эктор Кастро – удивительное достижение, ведь в детстве он лишился части руки.

The first champions

Uruguay became the first FIFA World Cup™ winners, doing so on home soil in 1930 after beating Argentina 4-2 in the final. This goal sealed the victory and was scored by Héctor Castro, who played despite having had a forearm amputated.

ФРАНЦИЯ

ФРАНЦИЯ

FRANCE

СТАТИСТИКА ALL-TIME STATS

Наибольшее число игр: Лилиан Тюрам (142)
Лучший бомбардир: Тьерри Анри (51)
Прозвище: *"синие", "трёхцветные"*
Наивысший рейтинг FIFA: 1 (май 2001 — май 2002)
Самая крупная победа: 10:0 над Азербайджаном, 6 сентября 1995

Most Caps: Lilian Thuram (142)
Most goals: Thierry Henry (51)
Nickname: Les Bleus
Highest FIFA ranking: 1 (May 2001 - May 2002)
Biggest win: 10-0 vs Azerbaijan, 6 September 1995

RU **Прошло уже двадцать лет с тех пор, как Франция выиграла Чемпионат мира по футболу FIFA 1998™ на глазах десятков тысяч своих болельщиков, и команда мечтает снова повторить этот результат.**

С того июльского вечера в Париже у французской сборной было не слишком много поводов для радости на Чемпионате мира FIFA, в 2002 и 2010 году они были выбиты на групповой стадии турнира. Впрочем, в 2006 году Франция дошла до финала, где уступила Италии.

Нынешняя сборная Франции обладает всем необходимым, чтобы добиться большего, чем 12 лет назад. Немногие сборные сравнятся с командой, которой руководит Дидье Дешам.

Такие игроки, как Поль Погба и Оливье Жиру, демонстрируют высочайший уровень игры, а Н`Голо Канте и Килиан Мбаппе уже зарекомендовали себя в клубе и сборной. У Франции есть все шансы выйти из группы С и далеко продвинуться по турнирной сетке.

EN **It is 20 years since France emphatically won the 1998 FIFA World Cup™ in front of tens of thousands of their own delighted fans on home soil and the clamour for them to repeat that feat continues to grow.**

Since that glorious night in Paris, France have had little else to celebrate in terms of the FIFA World Cup™, having been knocked out of the 2002 and 2010 editions in the group stages, although they did make the 2006 final where they lost to Italy.

The current France squad could well go one stage further than that 2006 heartbreak and few sides are as capable and as attacking as Didier Deschamps' men.

Players such as Paul Pogba and Olivier Giroud are standout performers, while N'Golo Kanté and Kylian Mbappé are also blessed with extraordinary talent and could help France ease their way through Group C and cause some real problems in the knockout stages.

FRANCE

ВЫХОД НА ЧЕМПИОНАТ МИРА FIFA
FIFA WORLD CUP CLINCHER

Франция прошла отборочный турнир к Чемпионату мира по футболу FIFA 2018™ не без осечек. Только в последнем матче против Беларуси она заполучила желанную путёвку.

Великолепные Антуан Гризманн и Оливье Жиру забили в ворота белорусов, и французы, добившись в десяти матчах семи побед и двух ничьих при одном поражении, прошли дальше.

France had a few wobbles on their way to the 2018 FIFA World Cup™ and it was not until their last qualification match against Belarus that they managed to confirm their participation.

The brilliant Antoine Griezmann and Olivier Giroud scored the crucial goals against Belarus as France qualified having won seven games, drawn two and lost the other.

ГЛАВНЫЙ ТРЕНЕР
THE COACH

Дидье Дешам

У Дидье Дешама во Франции огромное число поклонников, ведь он был великолепным игроком и, что важнее, прекрасным капитаном.

Именно Дешам поднял над головой Кубок Чемпионата мира FIFA после победы команды над Бразилией в финале турнира 1998 года, с тех пор его боготворят на родине.

Он возглавил сборную Франции в 2012 году. Его спокойствие и уверенность помогли команде обрести веру в себя и найти собственный стиль игры.

Didier Deschamps

Didier Deschamps is a man who has plenty of adoring fans in France due to his brilliance as a player and, just as crucially, as a captain.

It was Deschamps who lifted the FIFA World Cup Trophy after beating Brazil in the final of the 1998 FIFA World Cup and he has been admired in France ever since.

He took over as France manager in 2012 and his calm, assured and committed style has helped oversee a consistent improvement in France's style and fortunes.

ЛУЧШИЙ МОМЕНТ НА ЧЕМПИОНАТЕ МИРА FIFA

Обыграть сборную Бразилии со счётом 3:0 — большое достижение, но сделать это в финале Чемпионата мира FIFA на глазах собственных болельщиков — бесценно.

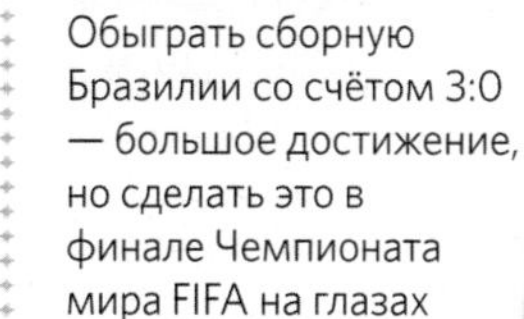

BEST FIFA WORLD CUP MOMENT

Beating Brazil 3-0 at any time is a huge achievement; beating them by that score in the FIFA World Cup™ final in front of your own fans is what football dreams are made of.

ГЕРОЙ ЧЕМПИОНАТА МИРА FIFA

На турнире 1958 года Жюст Фонтен забил невероятные 13 голов, но игра Зинедина Зидана в финале 1998 года, когда он забил два мяча и вдохновил партнёров на победу, сделала его героем Франции.

FIFA WORLD CUP HERO

Just Fontaine's incredible 13-goal haul at the 1958 FIFA World Cup™ made him the stand-out French performer until Zinedine Zidane inspired his nation in 1998, grabbing two goals in the final at the Stade de France.

ФРАНЦИЯ - FRANCE

КЛЮЧЕВОЕ ТРИО / THE KEY THREE

Н'ГОЛО КАНТЕ

Полузащитник «Челси» — великолепный игрок, основная задача которого заниматься разрушением, прерывая атаки соперника и давая возможность форвардам команды меньше участвовать в обороне собственных ворот.

Канте был ключевым игроком «Лестер Сити» в невероятном чемпионском сезоне 2015/2016, в следующем году он выиграл Премьер-лигу уже с «Челси».

N'GOLO KANTÉ

The Chelsea midfielder is a superb player who specialises in breaking up opposition attacks, tackling hard in midfield and freeing more creative players up to work their magic at the right end of the pitch.

Kanté was a key player in Leicester City's remarkable Premier League-winning season in 2015-16 and also won the title the following year with Chelsea.

НАИВЫСШЕЕ ДОСТИЖЕНИЕ НА ЧМ
BEST WORLD CUP PERFORMANCE
ЧЕМПИОН, 1998
WINNERS 1998

УГО ЛЬОРИС

Нечасто вратари бывают настолько хорошими атлетами и отличаются такой надёжностью, как Уго Льорис. Наличие в команде такого голкипера — козырь в рукаве сборной Франции.

Любимец болельщиков «Тоттенхэм Хотспур» провёл почти 100 матчей за национальную команду, но по-прежнему достаточно молод для стража ворот. Стоит ожидать, что он будет играть за сборную ещё не один год.

HUGO LLORIS

Goalkeepers do not come more dependable or athletic than Hugo Lloris and the experienced goalkeeper is a huge asset to the French team.

The Tottenham Hotspur favourite has played nearly 100 times for his country, yet is still relatively young for a top-class performer and is likely to remain France's first-choice goalkeeper for some considerable time.

СЫГРАНО МАТЧЕЙ НА ЧМ
WORLD CUP FINALS MATCHES PLAYED
59

АНТУАН ГРИЗМАНН

В лице Гризманна «трёхцветные» обладают одним из сильнейших нападающих мира.

На Чемпионате Европы по футболу УЕФА 2016 Гризманн стал лучшим бомбардиром и лучшим игроком турнира, и ему вполне по силам добиться того же результата на Чемпионате мира по футболу FIFA в России.

ANTOINE GRIEZMANN

In Griezmann, *Les Bleus* have one of the best frontmen in the world.

At UEFA EURO 2016, Griezmann topped the scoring charts and was the player of the tournament: there is no reason why the Atlético Madrid man cannot repeat that impressive feat in Russia.

ЗАБИТО ГОЛОВ НА ЧМ
WORLD CUP FINALS GOALS SCORED
106

АВСТРАЛИЯ

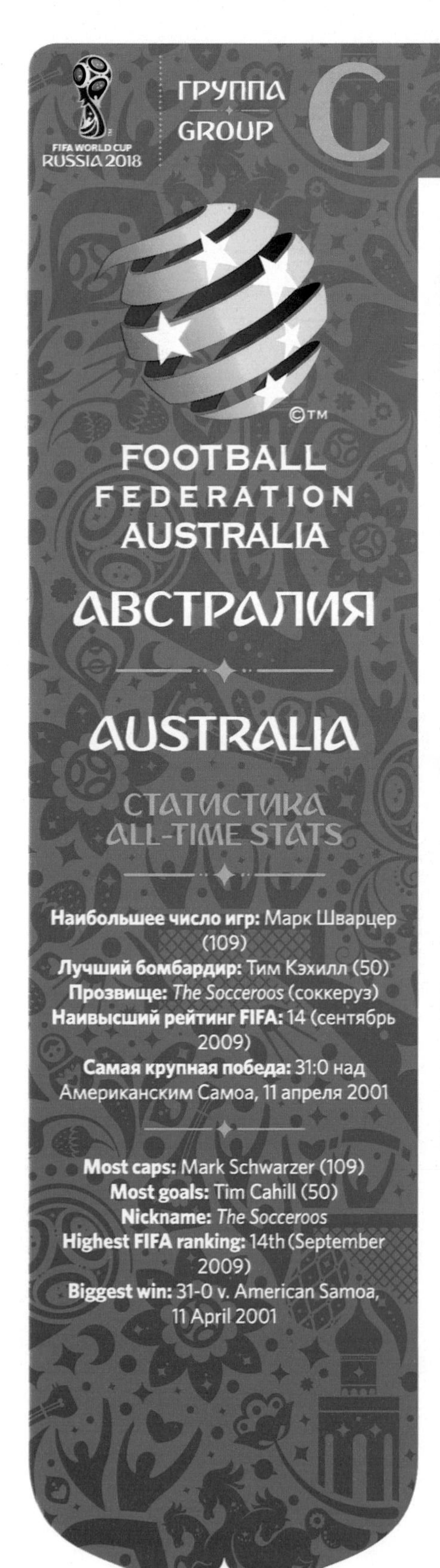

Наибольшее число игр: Марк Шварцер (109)
Лучший бомбардир: Тим Кэхилл (50)
Прозвище: *The Socceroos* (соккеруз)
Наивысший рейтинг FIFA: 14 (сентябрь 2009)
Самая крупная победа: 31:0 над Американским Самоа, 11 апреля 2001

Most caps: Mark Schwarzer (109)
Most goals: Tim Cahill (50)
Nickname: *The Socceroos*
Highest FIFA ranking: 14th (September 2009)
Biggest win: 31-0 v. American Samoa, 11 April 2001

RU **Если бы одной самоотверженности было достаточно, чтобы выиграть Кубок Чемпионата мира FIFA, Австралия была бы одним из главных претендентов на Трофей.**

Во время квалификационной кампании к Чемпионату мира FIFA в России Австралии пришлось преодолеть почти 250 тысяч километров, чтобы провести все свои матчи, но путёвка на турнир определённо того стоила.

За матчами австралийской команды всегда интересно наблюдать, ведь её отличают трудолюбие, мастерство, дисциплина, хорошая физическая готовность и воля к победе.

Хотя австралийская публика футболу чаще предпочитает крикет или австралийский футбол, широкое распространение этого вида спорта на любительском уровне в последние годы приносит плоды «соккеруз».

EN **If dedication alone was the deciding issue in who should lift the FIFA World Cup Trophy, Australia's name would have to be given some serious consideration.**

During the qualification stage for Russia, Australia had to travel nearly a quarter of a million kilometres to fulfil their fixtures but all the jet lag in the world was surely worth it in exchange for a final plane ride to Russia.

Australia are a side who are always worth watching, as they combine a superb work ethic and togetherness with skill, discipline, impeccable fitness and a huge will to win.

Although the Australian sporting public tends to consider cricket and Australian Rules football as bigger sports, the grassroots growth of football across the country is mainly due to the spirit and success the *Socceroos* have enjoyed over the past two decades or so.

AUSTRALIA

ВЫХОД НА ЧЕМПИОНАТ МИРА FIFA
FIFA WORLD CUP CLINCHER

Австралия стала 31-й из 32-х команд, получивших путёвку на Чемпионат мира по футболу FIFA 2018™.

Её судьба решалась в плей-офф против Гондураса в ноябре прошлого года. В напряжённом матче на стадионе «ANZ» хет-трик Миле Единака помог хозяевам победить со счётом 3:1.

Вскоре после этой игры Анге Постекоглу оставил пост главного тренера сборной Австралии.

Australia were the 31st team out of 32 to book their place at the tournament.

It all came down to a play-off against Honduras last November and during a tense match at the ANZ Stadium in Sydney, a superb Mile Jedinak hat-trick helped the *Socceroos* to a 3-1 victory.

The match would be the last game manager Ange Postecoglou would be in charge of as he quit soon after.

ЛУЧШИЙ МОМЕНТ НА ЧЕМПИОНАТЕ МИРА FIFA

На турнире 2006 года Харри Кьюэлл в игре против Хорватии под занавес матча сравнял счёт и позволил команде впервые в своей истории выйти в 1/8 финала.

BEST FIFA WORLD CUP MOMENT

Harry Kewell's late equaliser against Croatia at the 2006 FIFA World Cup™ helped the *Socceroos* to a draw and a place in the round of 16 for the first time ever.

ГЕРОЙ ЧЕМПИОНАТА МИРА FIFA

Забивавший голы на трёх Чемпионатах мира FIFA (2006, 2010, 2014) Тим Кэхилл — настоящий футбольный долгожитель.

FIFA WORLD CUP HERO

With goals in three editions of the FIFA World Cup™ (2006, 2010 and 2014), Tim Cahill's scoring skill and longevity are remarkable.

ГЛАВНЫЙ ТРЕНЕР
THE COACH

Берт ван Марвейк

После отставки Анге Постекоглу Австралия не стала торопиться с выбором нового наставника. В итоге им стал голландец Берт ван Марвейк.

Хотя Ван Марвейк только начал работу, у него достаточный опыт работы со сборными. В 2010 году он вывел команду Нидерландов в финал Чемпионата мира FIFA.

Его команды отличает, прежде всего, прагматизм, но, с точки зрения «соккеруз», главное преимущество этого специалиста в том, что он знает, как добиваться победы.

Bert van Marwijk

Following Ange Postecoglou's resignation, Australia did not rush to find a replacement and they eventually put their faith in Dutchman Bert van Marwijk.

Although these are still the very early days of Van Marwijk's reign, he has plenty of international pedigree and was the Netherlands manager when they made it to the final of the 2010 FIFA World Cup™.

Although his teams are noted more for their pragmatism than their style, the crucial point for the *Socceroos* is that they have appointed a man who knows how to win.

АВСТРАЛИЯ - AUSTRALIA

КЛЮЧЕВОЕ ТРИО / THE KEY THREE

МИЛЕ ЕДИНАК

Важность Миле Единака для сборной Австралии не ограничивается одними только решающими голами, которые он забивает, хотя голы, конечно, важны.

Это настоящий капитан, прирождённый лидер и человек, который знает, как помочь партнёрам продемонстрировать свою лучшую игру. Единак — ядро этой команды.

MILE JEDINAK

Mile Jedinak's value to the Australian side goes above and beyond the crucial goals that he scores – although, of course, that certainly helps.

He is a superb captain, a natural leader and a man who knows how to get the very best from those players around him as the fulcrum of the team in midfield.

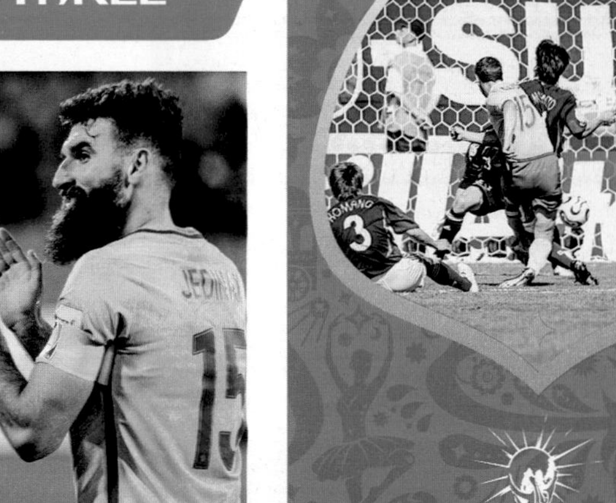

НАИВЫСШЕЕ ДОСТИЖЕНИЕ НА ЧМ
BEST WORLD CUP PERFORMANCE

1/8, 2006
ROUND OF 16, 2006

ТИМ КЭХИЛЛ

Тим Кэхилл — феноменальный футболист, который по праву считается одним из величайших игроков сборной Австралии.

Он не только забивал на трёх Чемпионатах мира FIFA, но и по-прежнему, несмотря на возраст, демонстрирует блестящую физическую форму, голод до побед и свой талант голеодора.

В каждом матче австралийской сборной Кэхилл выкладывается полностью.

TIM CAHILL

Tim Cahill is a footballing phenomenon and has to be considered the greatest Australian footballer of all time.

Not only has he scored in three FIFA World Cup tournaments, he continues to defy age and looks as fit, hungry and brilliant in front of goal as ever.

Cahill pours everything into every single Australian performance – and it shows.

СЫГРАНО МАТЧЕЙ НА ЧМ
WORLD CUP FINALS MATCHES PLAYED

13

МЭТЬЮ ЛЕКИ

Четыре года назад на Чемпионате мира по футболу FIFA 2014™ Мэтью Леки выдал серию блестящих матчей.

Теперь он стал ещё сильнее, ещё лучше. Фланговый полузащитник берлинской «Герты» может стать одной ярчайших звёзд сборной Австралии на турнире.

MATHEW LECKIE

Mathew Leckie will be hoping that history repeats itself after his run of fine performances at the 2014 FIFA World Cup™.

He is now stronger, fitter and more focused than ever and the Hertha Berlin winger could become one of the major Australian talking points in Russia.

ЗАБИТО ГОЛОВ НА ЧМ
WORLD CUP FINALS GOALS SCORED

11

ПЕРУ - PERU

ПЕРУ

PERU

СТАТИСТИКА
ALL-TIME STATS

Наибольшее число игр: Роберто Паласиос (128)
Лучший бомбардир: Паоло Герреро (32)
Прозвище: *"бело-красные"*
Наивысший рейтинг FIFA: 10 (октябрь 2017)
Самая крупная победа: 8:1 над Эквадором, 11 августа 1938

Most caps: Roberto Palacios (128)
Most goals: Paolo Guerrero (32)
Nickname: *La Blanquirroja* (The White and Reds)
Highest FIFA ranking: 10th (October 2017)
Biggest win: 8-1 v. Ecuador, 11 August 1938

RU **Участие Перу в Чемпионате мира по футболу FIFA 2018 в России™ — отличная новость для всех поклонников южноамериканского футбола, тем более что вот уже 36 лет команда не появлялась в числе сильнейших команд планеты.**

На Чемпионате мира по футболу FIFA 1982™ Перу выступила неудачно. Добившись двух ничьих в трёх матчах, команда не смогла выйти из группы.

Но на этот раз, как ждут перуанские болельщики, сборная сможет удивить других участников турнира. В распоряжении Рикардо Гареки хорошо сыгранная и мотивированная команда.

Главный тренер может полагаться на опыт Паоло Герреро и Педро Акино в том, что касается атаки, а такие защитники, как Луис Адвинкула, закатают рукава и сделают всё возможное, чтобы перуанцы вышли в 1/8 финала.

EN **Peru's inclusion in the 2018 FIFA World Cup™ is a welcome South American addition, especially as it is now 36 years since they last graced the world's greatest sporting tournament.**

At the 1982 FIFA World Cup™, Peru performed nobly with two draws from their three matches, but that was not enough to help them escape the group stages.

This time around, Peru's fans have enough reason again to believe their side can cause a few surprises and the settled squad at Ricardo Gareca's disposal is highly motivated and expects to do well.

The manager can call upon the experience of Paolo Guerrero and Pedro Aquino for goals and attacking threat while defenders such as Luis Advíncula will certainly roll their sleeves up and do all they can to get Peru into the round of 16.

PERU

ЛУЧШИЙ МОМЕНТ НА ЧЕМПИОНАТЕ МИРА FIFA

Потрясающая победа над Шотландией со счётом 3:1 в первом матче Перу на Чемпионате мира по футболу FIFA 1978™ задала тон всей остальной кампании.

BEST FIFA WORLD CUP MOMENT

A stunning 3-1 victory over Scotland in Peru's opening match of the 1978 FIFA World Cup™ set the tone for a great tournament and stunned the sporting world.

ГЕРОЙ ЧЕМПИОНАТА МИРА FIFA

Теофило Кубильяс забил пять голов на Чемпионате мира по футболу FIFA 1970™ и повторил это достижение восемь лет спустя. Он также играл на турнире в Испании в 1982 году.

FIFA WORLD CUP HERO

Teófilo Cubillas scored five goals at the 1970 FIFA World Cup™ and repeated the feat at the 1978 edition. He also played at Spain '82.

ВЫХОД НА ЧЕМПИОНАТ МИРА FIFA
FIFA WORLD CUP CLINCHER

После первых шести матчей надежды Перу на то, чтобы квалифицироваться для участия в турнире в России, выглядели призрачными — они одержали всего одну победу.

Однако, затем команда показала блестящую игру и вернулась в число соискателей. В итоге она добилась права сыграть в межконтинентальных стыковых матчах против Новой Зеландии. По итогам двух матчей была добыта победа 2:0 благодаря голам Джефферсона Фарфана и Кристиана Рамоса в Лиме.

Peru's hopes of qualifying for Russia looked decidedly precarious after six matches as they had won just one encounter.

However, they rallied magnificently to get themselves back into contention and, eventually, they forced two play-off ties with New Zealand, whom they beat 2-0 on aggregate thanks to two goals in Lima from Jefferson Farfán and Christian Ramos.

ГЛАВНЫЙ ТРЕНЕР
THE COACH

Рикардо Гарека

В своё время Рикардо Гарека, выступая за Аргентину, забил решающий гол, который не позволил перуанцам квалифицироваться на Чемпионат мира по футболу FIFA 1986™. Однако, по понятным причинам, теперь всё забыто.

После завершения карьеры игрока, которую он провёл, выступая за таких грандов, как «Ривер Плейт» и «Бока Хуниорс», он начал тренерскую карьеру. В 2015 году Гарека возглавил Перу, полностью перестроил команду и дошёл с ней до полуфинала Кубка Америки.

Ricardo Gareca

Gareca should be a national villain in Peru as he actually scored the goal for his own nation, Argentina, in 1985 that prevented the Peruvians from qualifying for the 1986 FIFA World Cup™ yet, understandably, that has now all been forgotten.

After a domestic playing career that saw him well received at huge clubs like River Plate and Boca Juniors, he moved into management around South America before taking control of Peru in 2015, where he has overhauled the squad and seen them reach the semi-finals of the *Copa América*.

ПЕРУ

C ГРУППА GROUP

FPF
НАИВЫСШЕЕ ДОСТИЖЕНИЕ НА ЧМ
BEST WORLD CUP PERFORMANCE
ЧЕТВЕРТЬФИНАЛ, 1970
QUARTER-FINALS, 1970
СЫГРАНО МАТЧЕЙ НА ЧМ
WORLD CUP FINALS MATCHES PLAYED
15
ЗАБИТО ГОЛОВ НА ЧМ
WORLD CUP FINALS GOALS SCORED
19

КЛЮЧЕВОЕ ТРИО / THE KEY THREE

ЛУИС АДВИНКУЛА

Луис Адвинкула сыграл более 60 матчей за сборную Перу, это универсальный футболист, который хорошо действует как на фланге защиты, так и на краю полузащиты.

Он провёл отличный матч против Новой Зеландии и помог перуанцам квалифицироваться на Чемпионат мира по футболу FIFA в России, теперь Адвинкула надеется так же хорошо сыграть и на самом турнире.

LUIS ADVÍNCULA

Luis Advíncula has played over 60 times for his country and is a flexible performer who can fit in either at full-back or on the wing.

He had a fine match against New Zealand to help Peru qualify for Russia and will be hoping that form continues during the tournament itself.

ПЕДРО ГАЛЬЕСЕ

Вратарь Педро Гальесе выходит на пик своей карьеры. С первых матчей за сборную он хорошо зарекомендовал себя. В дебютной игре Гальесе парировал пенальти, сохранил ворота в неприкосновенности и помог перуанцам победить Панаму.

С тех пор он становился только сильнее. На чемпионате мира в России Педро Гальесе будет одним из самых надёжных участвующих в турнире вратарей.

PEDRO GALLESE

Pedro Gallese is a goalkeeper coming into his prime and he has shone from the very start of his international career, saving a penalty on his debut in a clean-sheet win over Panama.

He has continued to improve and promises to be one of the most trustworthy, athletic and dependable goalkeepers on display in Russia.

ПАОЛО ГЕРРЕРО

Капитан и символ сборной Перу Паоло Герреро — кумир перуанских болельщиков.

Он зарекомендовал себя в мюнхенской «Баварии» и «Гамбурге», а позднее перебрался в Бразилию. Герреро создал себе репутацию сильного и опасного форварда благодаря блестящей статистике в «Коринтианс», «Фламенго» и сборной Перу.

PAOLO GUERRERO

Paolo Guerrero is the captain of his country and also an icon to Peru's football-crazy public.

After shining at Bayern Munich and Hamburger SV, he has now made Brazil his home, where his brilliant goalscoring exploits for Corinthians and Flamengo, alongside Peru, have made him a truly class act and fearsome striker.

ДАНИЯ

ДАНИЯ

DENMARK

СТАТИСТИКА
ALL-TIME STATS

Наибольшее число игр: Петер Шмейхель (129)
Лучший бомбардир: Поуль Нильсен / Йон-Даль Томассон (52)
Прозвище: *De Rød-Hvide* («красно-белые»)
Наивысший рейтинг FIFA: 3 (май 1997, август 1997)
Самая крупная победа: 17:1 над Францией 22 октября 1906

Most caps: Peter Schmeichel 129
Most goals: Poul Nielsen/Jon Dahl Tomasson 52
Nickname: *De Rød-Hvide* (The Red and Whites)
Highest FIFA ranking: 3rd (May 1997, August 1997)
Biggest win: 17-1 v. France, 22 October 1906

RU **Прошло уже двадцать лет с тех пор, как сборная Дании смогла по-настоящему проявить себя на Чемпионате мира по футболу FIFA™, но на турнире в России от команды Оге Харейде стоит ждать многого.**

В 1998 году датчане в последний раз в своей истории дошли до четвертьфинала Чемпионата мира FIFA. На турниры 2006 и 2014 Дания и вовсе не смогла квалифицироваться, так что поводов для радости болельщикам она давала немного.

Однако, Чемпионат мира по футболу FIFA 2018™, возможно, изменит всё. В распоряжении Харейде отличная команда, и 25 голов, которые она забила в отборочном турнире, говорят о многом.

Такие игроки, как Каспер Шмейхель, Виллиам Квист и Кристиан Эриксен, находятся на пике своей карьеры, а командный дух и уверенность игроков в себе видны невооружённым глазом.

EN **It has been a long 20 years since Denmark last had something to seriously celebrate at a FIFA World Cup™, but hopes are high that this time around, Åge Hareide's side can really be a team to watch in Russia.**

That 1998 edition was the last time Denmark reached the quarter-finals of a FIFA World Cup and having missed qualifying altogether in 2006 and 2014, Denmark's fans have not had much to cheer about in recent times.

However, the 2018 FIFA World Cup™ could change all that thanks to the fine squad Hareide has at his disposal and the 25 goals they scored in qualifying for Russia shows they can be a threat.

Players like Kasper Schmeichel, William Kvist and Christian Eriksen are at the very peak of their careers and the team spirit and confidence inside the Denmark camp is clearly evident.

DENMARK

ВЫХОД НА ЧЕМПИОНАТ МИРА FIFA
FIFA WORLD CUP CLINCHER

Отборочная кампания Дании получилась довольно странной. Она заняла второе место в группе E с 20 очками, впереди её ждало, как казалось, тяжёлое противостояние с Ирландией в стыковых матчах.

Однако, сыграв с командой Мартина О`Нила дома со счётом 0:0, в гостях датчане проявили себя во всей красе. Хет-трик Кристиана Эриксена позволил им разгромить ирландцев со счётом 5:1.

Denmark's qualification campaign was a strange affair that saw them finish second in Group E with 20 points, ahead of what should have been two nerve-wracking play-off ties against the Republic of Ireland.

However, after drawing 0-0 with Martin O'Neill's side at home, they then produced a scintillating display on home soil as Christian Eriksen's hat-trick helped secure a brilliant 5-1 victory.

ГЛАВНЫЙ ТРЕНЕР
THE COACH

Оге Харейде

Несмотря на то, что Харейде провёл пятьдесят матчей за принципиальных соперников Дании норвежцев, это не помешало ему теперь стать любимцем датской публики.

Он с успехом работал в «Мольде», «Русенборге» и «Мальмё», и его команды хвалили за яркий атакующий стиль игры, и это при том, что он сам когда-то был центральным защитником.

Харейде уверен в том, что для успеха надо атаковать при первой возможности. Его философия основана на контроле мяча и нападении как лучшей форме обороны.

Åge Hareide

Hareide played 50 times for Denmark's close rivals Norway but that fact has not prevented him from becoming widely liked in his adopted country.

He was a successful club coach at Molde, Rosenborg and Malmö, and his attacking style of play has attracted plenty of plaudits despite the fact he actually plied his trade as a combative central defender.

Hareide firmly believes in attacking as much as possible. He wants his side to be comfortable on the ball and he insists that attack is the best form of defence.

ЛУЧШИЙ МОМЕНТ НА ЧЕМПИОНАТЕ МИРА FIFA

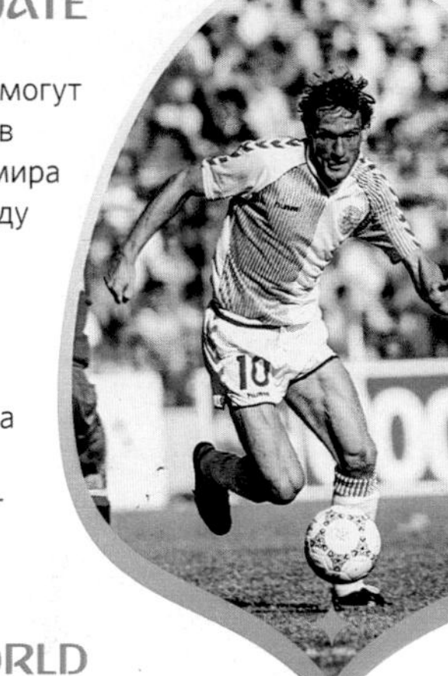

Немногие команды могут похвастать тем, что в матче Чемпионата мира FIFA одержали победу с разницей в пять мячей, но датчане отметились таким результатом. В 1986 году Дания выиграла у Уругвая со счётом 6:1, Пребен Элькьер-Ларсен оформил хет-трик.

BEST FIFA WORLD CUP MOMENT

Few teams in FIFA World Cup history can claim to have won a match by the superb margin of 6-1 but Denmark certainly can. They beat Uruguay by that scoreline at the 1986 FIFA World Cup™ as an Elkjær Larsen hat-trick inspired them to a great victory.

ГЕРОЙ ЧЕМПИОНАТА МИРА FIFA

Йон-Даль Томассон забил четыре гола на Чемпионате мира по футболу FIFA 2002™ и помог команде выйти в 1/8 финала. Особенно важным стал его дубль в ворота Уругвая.

FIFA WORLD CUP HERO

Jon Dahl Tomasson's four goals at the 2002 FIFA World Cup™ helped his side into the round of 16 and his brace against Uruguay was especially crucial to Denmark's success.

ДАНИЯ - DENMARK

КЛЮЧЕВОЕ ТРИО / THE KEY THREE

КРИСТИАН ЭКРИКСЕН

За последние несколько лет этот полузащитник стал одним из лучших футболистов Европы.

Эриксен — одна из главных звёзд Премьер-лиги и «Тоттенхэма», а три гола в ворота Ирландии закрепили за ним тот же статус в сборной Дании.

Это очень техничный и трудолюбивый игрок, который обязательно блеснёт в России.

CHRISTIAN ERIKSEN

The midfielder has matured into one of European football's finest playmakers in recent times.

He is an icon at domestic side Tottenham Hotspur in the Premier League and his three goals against the Republic of Ireland again confirmed his status as a Danish hero.

He is a seriously skilful and committed individual who should shine in Russia.

ТОМАС ДИЛЕЙНИ

Полузащитник бременского «Вердера» Дилейни представлял сборную Дании на всевозможных уровнях, пока не перешёл, наконец, в первую команду.

Он любит участвовать в атаках и нередко забивает сам. Дилейни всего 26, так что у него ещё многое впереди.

THOMAS DELANEY

A midfielder with *Bundesliga* side Werder Bremen, Thomas Delaney represented all of Denmark's youth sides on his way to full international honours.

He likes to attack, is a capable goalscorer and at just 26, he has plenty of profitable years ahead of him.

КАСПЕР ШМЕЙХЕЛЬ

Фамилия Шмейхель в датском футболе давно стала легендарной благодаря выступлениям Петера, однако Каспер — тоже прекрасный вратарь.

Чемпион Премьер-лиги в составе «Лестер Сити» в сезоне 2015/2016 замечательно руководит защитниками, обладает хорошей реакцией и надёжен в воротах сборной.

KASPER SCHMEICHEL

The Schmeichel surname is legendary in Danish football thanks to the career enjoyed by Peter, but Kasper is a brilliant goalkeeper in his own right.

A Premier League winner with Leicester City in 2015-16, Schmeichel is commanding, a great shot-stopper and a superb all-round athlete who is as solid as a rock for Denmark.

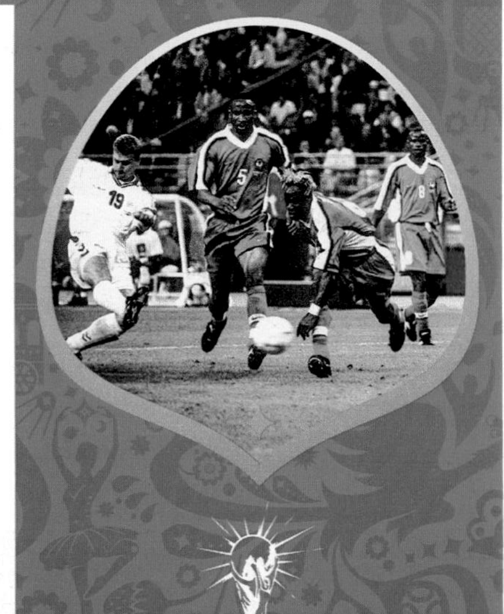

НАИВЫСШЕЕ ДОСТИЖЕНИЕ НА ЧМ
BEST WORLD CUP PERFORMANCE

ЧЕТВЕРТЬФИНАЛ, 1998
QUARTER-FINALS, 1998

СЫГРАНО МАТЧЕЙ НА ЧМ
WORLD CUP FINALS MATCHES PLAYED

16

ЗАБИТО ГОЛОВ НА ЧМ
WORLD CUP FINALS GOALS SCORED

27

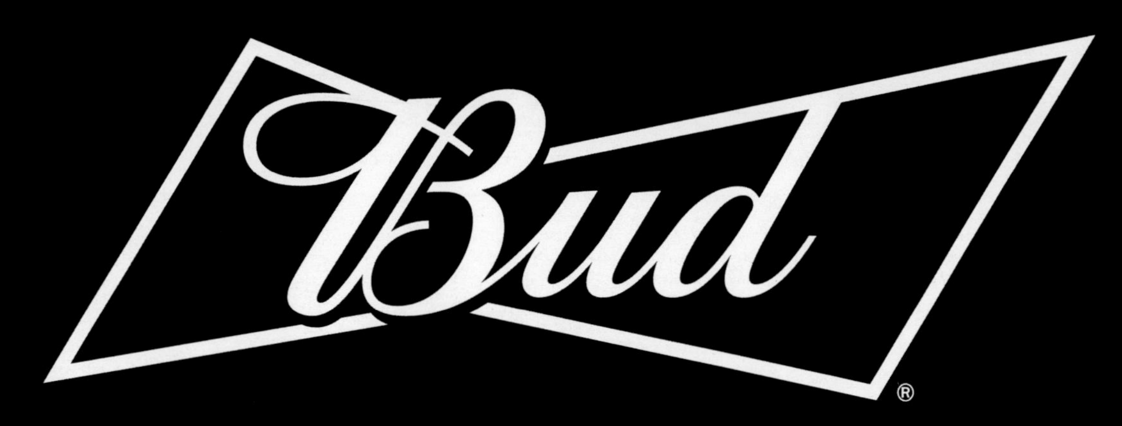

LIGHT UP THE FIFA WORLD CUP™

АРГЕНТИНА

АРГЕНТИНА

ARGENTINA

СТАТИСТИКА
ALL-TIME STATS

Наибольшее число игр: Хавьер Дзанетти 143
Лучший бомбардир: Лионель Месси 61
Прозвище: *La Albiceleste* (бело-голубые)
Наивысший рейтинг FIFA: 1 (март 2007, октябрь 2007 — июнь 2008, июль — октябрь 2015, апрель 2016 — апрель 2017)
Самая крупная победа: 12:0 над Эквадором, 22 января 1942

Most caps: Javier Zanetti (143)
Most goals: Lionel Messi (61)
Nickname: *La Albiceleste* (The Blue and Whites)
Highest FIFA ranking: 1st (March 2007, October 2007 - June 2008, July - October 2015, April 2016 - April 2017)
Biggest win: 12-0 v. Ecuador, 22 January 1942

RU **Путь в Россию на Чемпионат мира по футболу FIFA 2018 в России™ для Аргентины получился непростым, но теперь задача выполнена, и команда претендует на самые высокие награды.**

У двухкратных победителей турнира подобрался прекрасный состав.

Имя Лионеля Месси, возможно, является первым, которое приходит на ум при упоминании сборной Аргентины, но такие игроки как Анхель Ди Мария, Серхио Агуэро и Хавьер Маскерано также относятся к числу звёзд мирового класса.

Аргентина не выигрывала Чемпионат мира FIFA с турнира в Мексике в 1986 году, когда за собой её вёл великолепный Диего Марадона, но четыре года назад она финишировала второй. Кроме того, на её счету ещё два выхода в финал — в 1930 и 1990 году.

Воспоминания о поражениях по сей день бередят раны аргентинских болельщиков и, оступившись в шаге от трофея четыре года назад, команда рассчитывает исправиться в России.

EN **The path to the 2018 FIFA World Cup Russia™ may have been a tricky one for Argentina but now they are there, they will certainly be a force to be reckoned with.**

The two-time winners of the tournament boast one of the finest squads in world football.

Lionel Messi may be the first name that trips off the tongue when discussing Argentina's brilliance but fellow stars such as Ángel Di María, Sergio Agüero and Javier Mascherano are also truly world-class performers.

Argentina have not won the FIFA World Cup since their marvellous Diego Maradona-led victory in Mexico in 1986 but they were runners-up four years ago, and have also lost two other FIFA World Cup finals, the first in 1930 and the other in 1990.

Those losses still rankle with the Argentinian public and after defeat four years ago, the appetite to get back to the top of world football is stronger than ever.

ARGENTINA

ВЫХОД НА ЧЕМПИОНАТ МИРА FIFA
FIFA WORLD CUP CLINCHER

Сложно поверить, что сборная Аргентины могла не попасть на Чемпионат мира FIFA в России, но это едва не стало реальностью.

Аргентине было необходимо финишировать в числе первых четырёх команд в своей отборочной группе, но перед последним матчем против Эквадора она занимала шестую позицию.

Однако, хет-трик Лионеля Месси обеспечил ей три очка, а результаты в параллельных матчах позволили заскочить в уходящий вагон.

For a team of Argentina's sumptuous class, it is hard to believe they nearly didn't qualify for Russia, but that was a realistic possibility at one stage.

Argentina needed to finish in the top four in their qualification group but were stuck in sixth place going into their final match against Ecuador.

However, a Lionel Messi hat-trick secured three points, and with results going favourably elsewhere, Argentina qualified.

ГЛАВНЫЙ ТРЕНЕР
THE COACH

Хорхе Сампаоли

Путь Хорхе Сампаоли с Аргентиной на Чемпионат мира FIFA получился непростым, но он определённо умеет добиваться результата.

В 2015 году Сампаоли привёл Чили к первому в истории команды триумфу на Кубке Америки, а затем перебрался в Испанию, возглавив «Севилью».

Когда в 2017 году пост наставника сборной Аргентины стал вакантным, он сразу согласился его занять.

Пока результаты нельзя назвать безупречными, но Сампаоли уверен, что на большом турнире его подопечные проявят себя наилучшим образом.

Jorge Sampaoli

Argentina's troubles in qualifying mean that Jorge Sampaoli hasn't had a smooth ride so far but he has the know-how to help his team to glory.

In 2015, he led Chile to a maiden *Copa América* title before heading to Sevilla in *La Liga*.

The Argentina post became available in May 2017 and Sampaoli was thrilled to take the role.

Results may have been hit and miss recently but Sampaoli is confident that his charges will thrive in the pressure of a major tournament.

ЛУЧШИЙ МОМЕНТ НА ЧЕМПИОНАТЕ МИРА FIFA

Когда Диего Марадона подобрал мяч в матче против Англии в четвертьфинале Чемпионата мира по футболу FIFA 986™, ничто не предвещало гола. Однако, он обвёл половину английской сборной и забил, возможно, лучший гол в истории Чемпионатов мира FIFA.

BEST FIFA WORLD CUP MOMENT

When Diego Maradona picked up the ball against England in their 1986 FIFA World Cup™ quarter-final, there seemed to be nothing on. However, he then jinked his way through half the England team to eventually score arguably the greatest goal in FIFA World Cup history.

ГЕРОЙ ЧЕМПИОНАТА МИРА FIFA

Первого триумфа сборной Аргентины пришлось ждать 48 лет, но дубль Марио Кемпеса и гол Даниэля Бертони в ворота голландцев в финале Чемпионата мира по футболу FIFA1978™ принесли команде Сесара Луиса Менотти желанный титул. Кемпес стал лучшим бомбардиром розыгрыша.

FIFA WORLD CUP HERO

Argentina had a 48-year wait for their inaugural crown, but Mario Kempes' double, plus a goal from Daniel Bertoni against the Netherlands in the final of the 1978 FIFA World Cup™ handed César Luis Menotti's side the title. Kempes also finished as that tournament's top goalscorer.

КЛЮЧЕВОЕ ТРИО / THE KEY THREE

ЛИОНЕЛЬ МЕССИ

Хет-трик Месси в решающем матче отборочного этапа против Эквадора в очередной раз показал, насколько он важен для национальной команды. От пятикратного обладателя Золотого мяча FIFA Аргентина вправе ждать чудес.

Месси — один из лучших игроков в истории футбола, и Чемпионат мира по футболу FIFA 2018™ может ещё больше утвердить за ним это звание.

LIONEL MESSI

Lionel Messi's hat-trick in the crucial qualifier against Ecuador again showed his worth to his national side, and the five-time FIFA Ballon d'Or winner is always the man Argentina look to for a moment of magic.

He is one of the finest players ever to kick a football and the 2018 FIFA World Cup™ could well enhance his reputation even further.

ХАВЬЕР МАСКЕРАНО

Хавьер Маскерано относится к тому типу «невоспетых героев», которые нужны каждой команде. Самоотдача и хладнокровие этого игрока всегда были востребованы в сборной и клубах, за которые он играл.

В матчах за «Ливерпуль» и «Барселону» он показал, насколько он универсален и одинаково полезен как в полузащите, так и в обороне.

JAVIER MASCHERANO

Javier Mascherano is the type of unsung hero that every successful team needs, and his hard-tackling manner and calm control of games has been crucial for club and country many, many times over.

Spells with Liverpool and Barcelona underlined just how wonderful and flexible a player he is, in either midfield or defence.

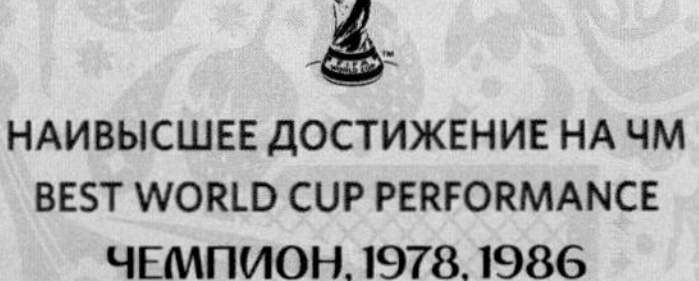

НАИВЫСШЕЕ ДОСТИЖЕНИЕ НА ЧМ
BEST WORLD CUP PERFORMANCE

ЧЕМПИОН, 1978, 1986
WINNERS, 1978, 1986

СЫГРАНО МАТЧЕЙ НА ЧМ
WORLD CUP FINALS MATCHES PLAYED

77

ЗАБИТО ГОЛОВ НА ЧМ
WORLD CUP FINALS GOALS SCORED

131

СЕРХИО АГУЭРО

Немногие форварды в мире могут похвастаться тем, что с такой регулярностью забивают голы, как это делает Серхио Агуэро.

Нападающий «Манчестер Сити» не кричит о своих достижениях на каждом углу, но его статистика говорит сама за себя. Это один из лучших игроков атаки в английской Премьер-лиги последних лет.

SERGIO AGÜERO

Few strikers in the world can claim to be as consistent, as brilliant and as lethal as Sergio Agüero.

The Manchester City striker does not shout his own talents from the rooftops but his statistics speak for themselves, at least domestically, and he has been one of the Premier League's finest players over the past five years.

Hisense
U9 ULED TV
SEE THE 2018
FIFA WORLD CUP ™
LIKE NEVER
BEFORE
4K
HDR
SUPREME
FIFA WORLD CUP
RUSSIA 2018
OFFICIAL
TELEVISION
OF THE
FIFA WORLD CUP
RUSSIA 2018
THE INCREDIBLE ON THE HISENSE U9 ULED TV

ИСЛАНДИЯ

ИСЛАНДИЯ

ICELAND

СТАТИСТИКА
ALL-TIME STATS

Наибольшее число игр: Рунар Кристинссон (104)
Лучший бомбардир: Эйдур Гудьонсен (26)
Прозвище: *Strákarnir okkar* («наши парни»)
Наивысший рейтинг FIFA: 18 (октябрь 2017)
Самая крупная победа: 5:0 над Мальтой, 27 июля 2000

Most caps: Rúnar Kristinsson (104)
Most goals: Eiður Guðjohnsen (26)
Nickname: *Strákarnir okkar* (Our Boys)
Highest FIFA ranking: 18th (October 2017)
Biggest win: 5-0 v. Malta, 27 July 2000

RU **История Чемпионатов мира FIFA — это не только слава, которой ищут и за которую сражаются сильнейшие команды мира. По правде говоря, самые яркие и известные моменты истории связаны с командами, которые попали на Чемпионат мира FIFA вопреки всему.**

Нет сомнений, что путь Исландии на турнир — один из самых потрясающих и вдохновляющих в истории Чемпионатов мира FIFA.

Население Исландии составляет всего 330 тысяч человек, а число футболистов не превышает 22 тысяч. Невероятно, что в ней нашлось достаточно талантливых, способных и поистине отважных игроков, которые сумели пробиться на крупнейший футбольный турнир в мире.

Однако, Исландия полна сюрпризов. Два года назад на Чемпионат Европы по футболу УЕФА 2016 она победила сборную Англии на пути в четвертьфинал. Это было невероятно, но теперь исландские футболисты готовы произвести ещё больший фурор на международной сцене. Многие любители футбола на турнире в России будут поддерживать Исландию, и это неудивительно.

EN **The history of the FIFA World Cup™ is not just about the glory sought and fought for by the bigger nations, desperate for silverware. If anything, the tournament's brightest and best moments involve nations who have defied the odds to even get there.**

There can be no doubt that Iceland's story is one of the most captivating and inspirational in World Cup history.

It is little short of remarkable that a nation with just 330,000 people should have the ability, talent and courage available among its population – and its 22,000 registered footballers – to fight its way to the biggest football competition in the world, but Iceland are a nation of surprises.

Two years ago at UEFA EURO 2016, they beat England on their way to the quarter-finals, a wonderful effort, and they are just as ready and determined to cause even more seismic football shocks. Iceland are sure to be one of the neutrals' favourites in Russia, and rightly so.

ICELAND

ВЫХОД НА ЧЕМПИОНАТ МИРА FIFA
FIFA WORLD CUP CLINCHER

Исландия заняла первое место в группе, включавшей Хорватию, Украину, Турцию, Финляндию и Косово. Опередив хорватов на два очка, команда автоматически квалифицировалась на первый в своей истории Чемпионат мира FIFA.

Своим успехом команда обязана идеальным результатам в домашних матчах — все пять были выиграны. Кроме того, она хорошо играла в гостях. Теперь исландцам следует так же хорошо проявить себя в России.

Iceland topped a qualifying group containing Croatia, Ukraine, Turkey, Finland and Kosovo, finishing two points ahead of the Croats, to qualify automatically for their first-ever FIFA World Cup.

Their success was based on their superb home form, where they won all five of their matches, and they were also solid enough away when it mattered most. The excitement their qualification brought to Iceland is sure to continue in Russia.

ГЛАВНЫЙ ТРЕНЕР
THE COACH

Хеймир Хадльгримссон

Главный тренер сборной Исландии определённо отличается от наставников остальных команд, которые сыграют на Чемпионате мира FIFA. Во-первых, он единственный из всех, кто работает стоматологом!

Специфика исландского футбола такова, что он по-прежнему совмещает оба занятия.

В сборной Исландии он работает с 2011 года, когда он стал ассистентом Ларса Лагербёка. В 2013 они составили дуэт тренеров, а с 2016 года Хадльгримссон руководит командой самостоятельно.

Heimir Hallgrímsson

It is fair to say that Heimir Hallgrímsson will be unique among the 32 managers at the 2018 FIFA World Cup because he is the only one who is also a registered dentist!

Indeed, he still occasionally works in his practice, such is the unorthodox approach Iceland take to football.

He has been involved with the Iceland men's team since 2011 when he was appointed assistant manager to Lars Lagerbäck. In 2013, he became joint-manager with Lagerbäck before taking over the reins on his own in 2016.

ЛУЧШИЙ МОМЕНТ НА ЧЕМПИОНАТЕ МИРА FIFA

Таким моментом стала победа над Косово со счётом 2:0 в октябре 2017 года. Этот результат позволил Исландии впервые в истории получить приглашение на Чемпионат мира FIFA.

BEST FIFA WORLD CUP MOMENT

It has to be the 2-0 qualifying win over Kosovo in October that secured Iceland's first-ever FIFA World Cup invite.

ГЕРОЙ ЧЕМПИОНАТА МИРА FIFA

Гильфи Сигурдссон всегда находится в гуще событий. Он забил решающий первый гол в ворота Косово.

FIFA WORLD CUP HERO

Gylfi Sigurðsson is a man who is always at the heart of the action. He scored the crucial first goal against Kosovo.

ИСЛАНДИЯ - ICELAND

КЛЮЧЕВОЕ ТРИО / THE KEY THREE

ХЁРДУР БЬЁГВИН МАГНУССОН

Талантливый защитник, отличающийся универсальностью, Хёрдур Бьёгвин Магнуссон будет одной из самых заметных фигур на Чемпионате мира FIFA .

Он здорово исполняет штрафные удары и не только активно участвует в оборонительных действиях, но и поддерживает атаку.

HÖRÐUR BJÖRGVIN MAGNÚSSON

Hörður Björgvin Magnússon is as talented as he is versatile and he is likely to be one of the most exciting defenders on display in Russia.

He is known for his dangerous free kicks, and his wonderful engine allows him to attack as much as he defends.

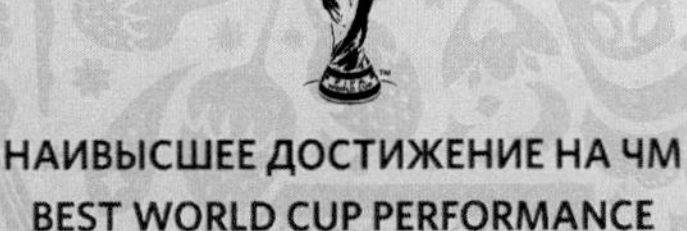

НАИВЫСШЕЕ ДОСТИЖЕНИЕ НА ЧМ
BEST WORLD CUP PERFORMANCE
Н/У
N/A

АРОН ГУНАРССОН

Любой команде нужен настоящий лидер и капитан. В лице Арона Гунарссона Исландия получила именно такого игрока.

Он стал капитаном сборной в 2012 году и, будучи полузащитником, в прямом и переносном смысле оказался в самом центре событий в команде. В исландской сборной не найдётся игрока, который выкладывается больше, чем Гунарссон.

ARON GUNNARSSON

Every side needs a strong captain and leader, and Aron Gunnarsson most definitely has those traits.

He became Iceland skipper back in 2012 and has been at the heart of their improvement ever since, offering plenty of talent and hard work from midfield. No Iceland player will try harder than the man who wears the armband.

СЫГРАНО МАТЧЕЙ НА ЧМ
WORLD CUP FINALS MATCHES PLAYED

0

ГИЛЬФИ СИГУРДССОН

Гильфи Сигурдссон — главная звезда сборной Исландии, и это неспроста.

Полузащитник «Эвертона» обладает репутацией одного из лучших распасовщиков Европы, он любит атаковать и великолепно исполняет стандарты.

Кроме того, Сигурдссон нередко забивает решающие голы.

GYLFI SIGURÐSSON

Gylfi Sigurðsson is Icelandic football's poster boy - and with good reason.

The Everton midfielder has forged a reputation for being one of the best passers in Europe, he loves to attack and his set pieces can really hurt the opposition.

He also tends to chip in with crucial goals.

ЗАБИТО ГОЛОВ НА ЧМ
WORLD CUP FINALS GOALS SCORED

0

ХОРВАТИЯ - CROATIA

ХОРВАТИЯ

CROATIA

СТАТИСТИКА
ALL-TIME STATS

Наибольшее число игр: Дарио Срна (134)
Лучший бомбардир: Давор Шукер (45)
Прозвище: Vatreni («пламенные»)
Наивысший рейтинг FIFA: 3 (январь 1999)
Самая крупная победа: 10:0 над Сан-Марино 4 июня 2016

Most caps: Darijo Srna (134)
Most goals: Davor Šuker (45)
Nickname: *Vatreni* (The Blazers)
Highest FIFA ranking: 3rd (January 1999)
Biggest win: 10-0 v. San Marino, 4 June 2016

RU **Прошло уже двадцать лет с тех пор, как сборная Хорватии к восторгу своих болельщиков заявила о себе во всеуслышание, — на Чемпионате мира по футболу FIFA 1998 во Франции™, заняв третье место.**

Игроки той команды стали национальными кумирами. Тем более, что это был первый Чемпионат мира FIFA, на котором Хорватия представляла собой независимое государство, ранее входившее в состав республики Югославии.

Состав хорватской команды, который едет на турнир в Россию, нельзя назвать юным, но недостаток молодёжи компенсируется опытом. Это крепкая сборная, известная тем, что умеет преодолевать трудности.

Когда квалификация на турнир 2018 года оказалась под угрозой, перед решающим матчем в группе команда сменила Анте Чачича на Златко Далича. С новым тренером задача была успешно решена.

И пусть с момента ярчайшего успеха сборной прошло двадцать лет, хорваты надеются вновь проявить себя на Чемпионате мира FIFA в России.

EN **It is now two decades since Croatia caught the footballing world's attention – and sent the country crazy – with a third-place finish at the 1998 FIFA World Cup™ in France.**

Players from that squad became national icons, especially as it was the first FIFA World Cup that Croatia had entered as an independent nation, having previously competed as part of Yugoslavia.

Croatia will not have one of the younger squads on display in Russia but what they lose in youth they more than make up for with experience. Their staying power is also a huge quality, as is their ability to bounce back.

At one stage, qualifying for Russia was going so poorly that Ante Čačić was dismissed before a crucial group match, but under Zlatko Dalić they have started to shine once more.

It may well have been 20 years since they last truly shone on the highest stage but that could certainly change in Russia.

ХОРВАТИЯ

ЛУЧШИЙ МОМЕНТ НА ЧЕМПИОНАТЕ МИРА FIFA

Когда Горан Влаович поразил ворота Андреаса Кёпке и сделал счёт 2:0 в четвертьфинале Чемпионата мира по футболу FIFA 1998™. Тогда стало ясно, что хорватская команда победит немецкую сборную, которая была в той игре фаворитом.

BEST FIFA WORLD CUP MOMENT

When Goran Vlaović beat Andreas Köpke in the Germany goal to make it 2-0 in their 1998 FIFA World Cup quarter-final, it was clear that Croatia were going to shock the world and beat the heavily favoured Germans.

ГЕРОЙ ЧЕМПИОНАТА МИРА FIFA

Есть только один человек, которого можно назвать настоящим героем сборной Хорватии. Это Давор Шукер, который выиграл Золотую бутсу на Чемпионате мира по футболу FIFA 1998™, забив шесть голов.

FIFA WORLD CUP HERO

There can only be one: the incredible Davor Šuker, who won the adidas Golden Boot at the 1998 FIFA World Cup™ after scoring six goals in a string of stunning performances.

ВЫХОД НА ЧЕМПИОНАТ МИРА FIFA
FIFA WORLD CUP CLINCHER

Хорватия была фаворитом группы I в борьбе за путёвку на турнир, но её обошла блестяще выступившая в квалификации Исландия. Хорватам пришлось участвовать в стыковых матчах.

В первом матче плей-офф в Загребе была разгромлена Греция со счётом 4:1. В ответной игре зрители голов не увидели, и Хорватия завоевала право сыграть на Чемпионат мира FIFA 2018™.

Croatia were favourites to seal qualification from Group I but they had to watch as Iceland beat them to it, leaving the Croats vulnerable to play-off pain and a missed opportunity.

However, in a brilliant performance in the play-offs, Greece were dispatched with some ease with a 4-1 victory in the first leg in Zagreb last November before a professional goalless shut-out in Greece confirmed Croatia's place at the 2018 FIFA World Cup™.

ГЛАВНЫЙ ТРЕНЕР
THE COACH

Златко Далич

Когда в октябре 2017 года Златко Далич сменил Анте Чачича на посту главного тренера сборной, той грозила опасность пропустить Чемпионат мира FIFA.

Однако, Далич сумел исправить ситуацию и моментально стал национальным героем.

В прошлом полузащитник, выступавший, в основном, на родине, Далич начал карьеру тренера в 2005 году. Выход на Чемпионат мира FIFA — пока что его главное достижение.

Zlatko Dalić

Zlatko Dalić looked to have a truly difficult job on his hands when he replaced Ante Čačić in October last year as Croatia's qualification for Russia hung by a thread.

Yet, in no time at all, Dalić guided Croatia through their tricky patch to become an overnight national hero.

The former midfielder has been a manager since 2005 following a playing career based mainly in his homeland, and although management has taken him overseas, it is back on home soil where he has proven his talents most.

CROATIA

D ГРУППА / GROUP

КЛЮЧЕВОЕ ТРИО / THE KEY THREE

ЛУКА МОДРИЧ

Вероятно, этот Чемпионат мира FIFA станет последним в карьере Луки Модрича. Было бы только справедливо, если бы на турнире его команда заявила о себе в полный голос.

Невероятно одарённый полузащитник мадридского «Реала» отличается великолепным видением поля и умеет отдавать передачи, которые и не снились многим другим игрокам.

LUKA MODRIĆ

This could be Luka Modrić's final FIFA World Cup™ and it would do his talents justice if he were to take the tournament by storm.

The Real Madrid man is a wonderfully gifted midfielder who combines a brilliant touch with great vision and he has a renowned ability to find a pass that few others can even imagine.

МАРИО МАНДЖУКИЧ

Марио Манджукич не только забивает множество голов и неизменно находится в сфере интересов сильнейших клубов Европы, он также отлично работает на команду.

Манджукич — мечта любого тренера, это нападающий, который умеет и любит работать в защите, помогая партнёрам.

MARIO MANDŽUKIĆ

Not only does Mario Mandžukić score plenty of goals – he has been in demand by Europe's top clubs for over a decade now – but he also puts in a huge shift for his team.

Mandžukić is a manager's dream striker who rolls his sleeves up defensively, ensuring Croatia are strong at both ends of the field.

ДЕЯН ЛОВРЕН

Центральный защитник Деян Ловрен отличается качеством, присущим только лучшим игрокам обороны: он блестяще умеет нейтрализовать сильнейших игроков атаки.

Крепкий и высокий футболист «Ливерпуля» хорошо играет в воздухе и здорово умеет обращаться с мячом. Но особенно впечатляет, насколько он хорош в единоборствах.

DEJAN LOVREN

Dejan Lovren has that important quality found in the very best defenders: he loves clean sheets and stopping attackers.

The tough and tall Liverpool central defender is good in the air and a solid performer with the ball at his feet, but it is his love of the physical side of the game that makes him a rock-steady performer.

НАИВЫСШЕЕ ДОСТИЖЕНИЕ НА ЧМ
BEST WORLD CUP PERFORMANCE
3-Е МЕСТО, 1998
3RD, 1998

СЫГРАНО МАТЧЕЙ НА ЧМ
WORLD CUP FINALS MATCHES PLAYED
16

ЗАБИТО ГОЛОВ НА ЧМ
WORLD CUP FINALS GOALS SCORED
21

НИГЕРИЯ

НИГЕРИЯ

NIGERIA

СТАТИСТИКА
ALL-TIME STATS

Наибольшее число игр: Винсент Эньеама, Джозеф Йобо (101)
Лучший бомбардир: Рашиди Йекини (37)
Прозвище: *"суперорлы"*
Наивысший рейтинг FIFA: 5 (апрель 1994)
Самая крупная победа: 10:1 над Бенином, 28 ноября 1959

Most caps: Vincent Enyeama, Joseph Yobo (101)
Most goals: Rashidi Yekini (37)
Nickname: *Super Eagles*
Highest FIFA ranking: 5th (April 1994)
Biggest win: 10-1 v. Benin, 28 November 1959

RU **Нигерия является одной из лучших африканских команд в истории Чемпионатов мира FIFA, турнир 2018 года – шестой из семи последних, на который она квалифицировалась.**

Вне зависимости от того, кто именно облачён в футболки «суперорлов», есть определённые общие для всех игроков качества, которые делают эту команду успешной. Нигерийцы всегда в отличной физической форме, сильны, сосредоточены, хорошо действуют в отборе и борются до финального свистка.

Нигерия выиграла Кубок африканских наций трижды — в 1980, 1994 и 2013 годах, что делает её одной из самых успешных сборных Африки, но команда полна решимости проявить себя и на самом высшем уровне.

Нигерийцы располагают молодой и амбициозной командой, которую ведёт опытный капитан Джон Оби Микел, так что они вполне могут стать открытием турнира в России.

EN **Nigeria's FIFA World Cup pedigree is among the best Africa has to offer, and the 2018 edition is the sixth tournament out of the last seven that they have managed to qualify for.**

No matter the personnel involved, Nigerian football always has certain trademarks that have helped make it so successful. The *Super Eagles* are always extremely fit and athletic, they are focused and hard tackling, and they give their all until the final whistle.

Nigeria have won the Africa Cup of Nations on three occasions - in 1980, 1994 and 2013 - which makes them one of Africa's most successful teams, but there is a determination within the Nigeria squad to prove their worth even more at the biggest tournament of all.

Fortunately, they have a young and exciting squad - led by the experienced captaincy of John Obi Mikel - and they could well be one of the surprise packages in Russia.

NIGERIA

ВЫХОД НА ЧЕМПИОНАТ МИРА FIFA
FIFA WORLD CUP CLINCHER

Нигерии удалось без особых проблем квалифицироваться на Чемпионат мира по футболу FIFA 2018™ после победы над Замбией в пятом матче группы B (1:0). Гол забил Алекс Ивоби, представляющий лондонский «Арсенал».

Впечатляет то, что в соперники по группе Нигерии достались серьёзные соперники, но команда не дала им ни единого шанса. Так, например, Камерун был разгромлен со счётом 4:0.

Nigeria's qualification for the 2018 FIFA World Cup was relatively straightforward as they defeated Zambia 1-0 in their fifth Group B match, courtesy of a goal from Arsenal's Alex Iwobi in Uyo.

The *Super Eagles'* qualification was extremely impressive as their group was by no means a walkover, yet they managed to dominate the opposition, including a superb 4-0 win over Cameroon.

ГЛАВНЫЙ ТРЕНЕР
THE COACH

Гернот Рор

За тридцать лет своей тренерской карьеры Гернот Рор успел сменить множество команд в разных частях планеты.

Бывший игрок мюнхенской «Баварии» и «Бордо» тренировал такие клубы, как «Ницца», «Янг Бойз», «Аяччо» и «Нант», а в числе сборных, которые он возглавлял, Нигер, Габон и Буркина-Фасо.

Пост главного тренера Нигерии он занял в августе 2016 года. После блестящей отборочной кампании к Чемпионату мира по футболу FIFA 2018 его авторитет в сборной не подвергается сомнению.

Gernot Rohr

Gernot Rohr has enjoyed a three-decade-long managerial career that has taken him around the planet.

The former Bayern Munich and Bordeaux player has coached at clubs like Nice, Young Boys, Ajaccio and Nantes, while his international CV contains African countries such as Niger, Gabon and Burkina Faso.

He was appointed Nigeria manager in August 2016 and after such a brilliant 2018 FIFA World Cup™ qualifying campaign, Rohr's standing in Nigeria could not be any higher than it is at present.

ЛУЧШИЙ МОМЕНТ НА ЧЕМПИОНАТЕ МИРА FIFA

На Чемпионате мира по футболу FIFA 1994™победа над Грецией со счётом 2:0 позволила Нигерии впервые в истории выйти в 1/8 финала.

BEST FIFA WORLD CUP MOMENT

At the 1994 FIFA World Cup, a 2-0 victory over Greece put Nigeria into the round of 16 for the first time ever.

ГЕРОЙ ЧЕМПИОНАТА МИРА FIFA

Эмоциональное празднование Рашиди Йекини первого в истории гола Нигерии на Чемпионатах мира FIFA, забитого в 1994 году, забыть невозможно.

FIFA WORLD CUP HERO

Rashidi Yekini's emotional celebration after scoring Nigeria's first-ever FIFA World Cup goal was a stand-out moment at the 1994 tournament.

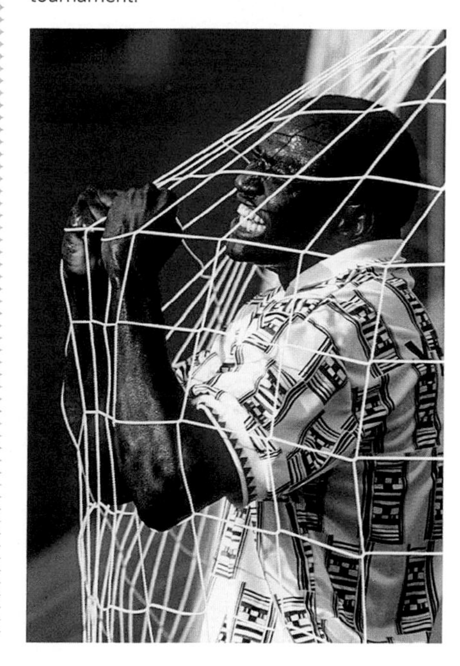

НИГЕРИЯ - NIGERIA

КЛЮЧЕВОЕ ТРИО / THE KEY THREE

ДЖОН ОБИ МИКЕЛ

Джон Оби Микел относится к числу тех футболистов, которых отличают надёжность и постоянно высокий уровень игры. Кроме того, он прирождённый лидер.

За годы выступлений в составе лондонского «Челси» он выиграл множество трофеев. Успех на клубном уровне Оби Микел старается повторить со сборной Нигерии.

JOHN OBI MIKEL

John Obi Mikel could well be one of the most consistent and dependable performers of any nation in Russia as the midfielder is the epitome of reliability and leadership.

His time at Chelsea saw him win as many trophies as he did plaudits and he will be looking to do all he can to replicate his domestic success on the international stage.

АЛЕКС ИВОБИ

Многие нигерийцы возлагают свои надежды, связанные с Чемпионатом мира FIFA, на звезду лондонского «Арсенала», но он готов нести эту ношу.

Хотя ему всего 22 года, вот уже три года Ивоби играет в основном составе «Арсенала». Нигерии голы этого игрока могут помочь добиться успеха в России.

ALEX IWOBI

The Arsenal star will carry many Nigerians' hopes on his shoulders but all the signs suggest he will be more than able to cope with the pressure.

Although just 22, he has been in Arsenal's first-team setup for nearly three years already, and Nigeria will be relying on his goalscoring prowess at this tournament.

ВИКТОР МОЗЕС

Полузащитник «Челси» Виктор Мозес переживает расцвет своей карьеры. Он трудолюбив и часто ассистирует партнёрам, так что любому сопернику стоит его опасаться.

Чемпион Премьер-лиги сезона 2016/2017 мастерски обращается с мячом и готов проявить себя в России.

VICTOR MOSES

Victor Moses is now entering the prime years of his career and the Chelsea midfielder's hard-working style and superb assists mean he is a truly dangerous opponent.

If the Premier League winner sees plenty of the ball, he could be a real threat in Russia.

НАИВЫСШЕЕ ДОСТИЖЕНИЕ НА ЧМ
BEST WORLD CUP PERFORMANCE
1/8 ФИНАЛА, 1994, 1998, 2014
ROUND OF 16, 1994, 1998, 2014

СЫГРАНО МАТЧЕЙ НА ЧМ
WORLD CUP FINALS MATCHES PLAYED

18

ЗАБИТО ГОЛОВ НА ЧМ
WORLD CUP FINALS GOALS SCORED

20

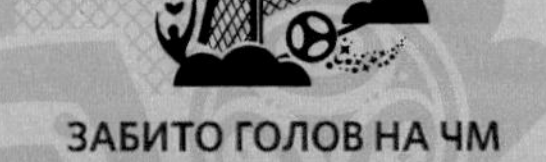

СТАДИОНЫ THE STADIUMS

«СТАДИОН КАЛИНИНГРАД» KALININGRAD STADIUM

Город: Калининград
Расположение: Октябрьский остров
Домашняя команда: ФК «Балтика»

После завершения Чемпионата мира FIFA 2018 стадион станет универсальной спортивной ареной. Он расположен в самом центре Калининграда, важного морского порта, в прошлом известного под названием Кёнигсберг.

Host City: Kaliningrad
Location: Oktyabrsky Island
Home team: FC Baltika Kaliningrad

This arena will become a multi-purpose sports stadium after the 2018 FIFA World Cup™ and is located right in the heart of Kaliningrad. Kaliningrad is an attractive seaport and was formerly known as Königsberg.

«ВОЛГОГРАД АРЕНА» VOLGOGRAD ARENA

Город: Волгоград
Расположение: ЦПКиО
Домашняя команда: ФК «Ротор-Волгоград»

Расположенный на Волге Волгоград, за рубежом широко известен благодаря Сталинградской битве. Новая арена находится в ЦПКиО на месте старого стадиона «Центральный».

Host City: Volgograd
Location: Central Park
Home team: FC Rotor

Volgograd, on the Volga River, was formerly known as Stalingrad and the new arena is located on the site of the old Central Stadium.

«ЕКАТЕРИНБУРГ АРЕНА» EKATERINBURG ARENA

Город: Екатеринбург
Расположение: улица Репина
Домашняя команда: ФК «Урал»

«Екатеринбург Арена» - домашний стадион одного из старейших футбольных клубов России, «ФК Урал». На месте прежнего стадиона была возведена новая арена, при этом был сохранен исторический фасад.

Host City: Ekaterinburg
Location: Repin Street
Home team: FC Ural

The Ekaterinburg Arena is home to one of the oldest football teams in Russia, FC Ural, and although the stadium was originally built in 1953, it has had reconstruction for the 2018 FIFA World Cup.

СТАДИОН «ФИШТ» FISHT STADIUM

Город: Сочи
Расположение: Олимпийский парк, Адлер
Домашняя команда: России

Впервые стадион был задействован в 2014 году во время Олимпиады, он принимал церемонии открытия и закрытия Олимпийских игр. Назван по одноименной вершине Кавказского хребта.

Host City: Sochi
Location: Olympic Park, Adler district
Home team: Russia

This stadium was first used for the 2014 Winter Olympics in 2014 and it hosted the opening and closing ceremonies of that event. The stadium is named after Mount Fisht, a peak in the Caucasus range of mountains.

«СТАДИОН САНКТ-ПЕТЕРБУРГ» SAINT PETERSBURG STADIUM

Город: Санкт-Петербург
Расположение: Крестовский остров
Домашняя команда: ФК «Зенит»

Этот потрясающий современный стадион был возведен на месте стадиона имени Кирова на Крестовском острове. Своим обликом арена напоминает фантастический космический корабль, приземлившийся на берег Финского залива.

Host City: Saint Petersburg
Location: Krestovsky Island
Home team: FC Zenit Saint Petersburg

This stunning new arena has been built on the site of the old Kirov Stadium on Krestovsky Island and the stadium has been designed to resemble a spaceship that has landed on the shores of the Gulf of Finland.

«МОРДОВИЯ АРЕНА» MORDOVIA ARENA

Город: Саранск
Расположение: пойма реки Инсар
Домашняя команда: ФК «Мордовия»

Стадион расположен на берегу реки Инсар в Саранске, столице Мордовии. После завершения Чемпионата мира FIFA 2018 года на нем будет проводить свои матчи ФК «Мордовия».

Host City: Saransk
Location: Insar River basin
Home team: FC Mordovia

This stadium sits on the banks of the Insar Rivar in Saransk, which is the capital of the Republic of Mordovia. Once the 2018 FIFA World Cup is over, the arena will become the home of FC Mordovia.

СТАДИОН «СПАРТАК» SPARTAK STADIUM

Город: Москва
Расположение: Тушино
Домашняя команда: ФК «Спартак»

На этой красивой арене проводит домашние матчи один из самых популярных и успешных российских клубов – московский «Спартак». Стадион находится на месте бывшего Тушинского аэродрома.

Host City: Moscow
Location: Tushino
Home team: FC Spartak Moscow

This dazzling stadium is home to one of Russia's most popular and successful teams, Spartak Moscow, and is located on a former airfield in the Moscow district of Tushino.

«КАЗАНЬ АРЕНА» KAZAN ARENA

Город: Казань
Расположение: Чистопольская улица, Ново-Савиновский район
Домашняя команда: ФК «Рубин»

Первым крупным событием, которое проходило на «Казань Арене», стала Летняя Универсиада 2013 года. Кроме этого, здесь регулярно проводятся концерты и культурные мероприятия.

Host City: Kazan
Location: Chistopolskaya Street, Novo-Savinovsky district
Home team: FC Rubin Kazan

First used at the Summer World University Games in 2013, this stadium is now home to FC Rubin Kazan and is also used widely for concerts and other cultural events.

«СТАДИОН НИЖНИЙ НОВГОРОД» NIZHNY NOVGOROD STADIUM

Город: Нижний Новгород
Расположение: Стрелка
Домашняя команда: ФК «Олимпиец»

Стадион в одном из самых красивых городов России, входящих в список объектов Всемирного наследия ЮНЕСКО, расположен в живописном месте. Он стоит у слияния Оки и Волги, откуда открывается потрясающий вид.

Host City: Nizhny Novgorod
Location: confluence of the Oka and Volga rivers
Home team: Olympiets Nizhny Novgorod

Located in one of Russia's most picturesque and historical cities, Nizhny Novgorod is a UNESCO World Heritage city and the stadium is equally as breathtaking, sitting close to both the Oka and Volga rivers.

СТАДИОН «ЛУЖНИКИ» LUZHNIKI STADIUM

Город: Москва
Расположение: Спорткомплекс «Лужники»
Домашняя команда: Россия

Стадион, к которому на Чемпионате мира FIFA 2018 будет приковано особое внимание, был построен в 1956 году. Он принимал Олимпиаду 1980 года, а также многие другие крупные мероприятия. Начиная с 2013 года, проводилась его масштабная реконструкция к Чемпионату мира FIFA.

Host City: Moscow
Location: Luzhniki Sports Complex
Home team: Russia

This will be the stadium most in the spotlight at the 2018 FIFA World Cup and was first used back in 1956. It hosted the 1980 Summer Olympics and a host of other huge events. Rebuilding work began back in 2013 so it would be ready for this summer.

«САМАРА АРЕНА»
SAMARA ARENA

Город: Самара
Расположение: район Радиоцентр
Домашняя команда: ФК «Крылья Советов»

Стадион «Самара Арена» построен в районе поселка Радиоцентр. После 2018 года он станет домашним для «Крыльев Советов». Это одна из самых высокотехнологичных арен мира. Стеклянный купол стадиона производит огромное впечатление.

Host City: Samara
Location: Radiotsentr district
Home team: FC Krylya Sovetov

This brand new stadium has been built in the Radiotsentr district of Samara and after Russia 2018, the stadium will be home to FC Krylya Sovetov. The glass dome is extremely impressive and the arena is one of the most high-tech in the world.

«РОСТОВ АРЕНА»
ROSTOV ARENA

Город: Ростов-на-Дону
Расположение: левый берег Дона, район Гребного канала
Домашняя команда: ФК «Ростов»

Расположенный на левом берегу Дона стадион после того, как закончится Чемпионат мира FIFA 2018, будет принимать матчи ФК «Ростов». С трибун открывается потрясающий вид не только на поле, но и на город.

Host City: Rostov-on-Don
Location: left bank of the Don River, the Grebnoy canal area
Home team: FC Rostov

Located on the left bank of the Don River, this stadium will be the home of FC Rostov after Russia 2018. The stadium gives not only fine views of the pitch but also the surrounding city and environs.

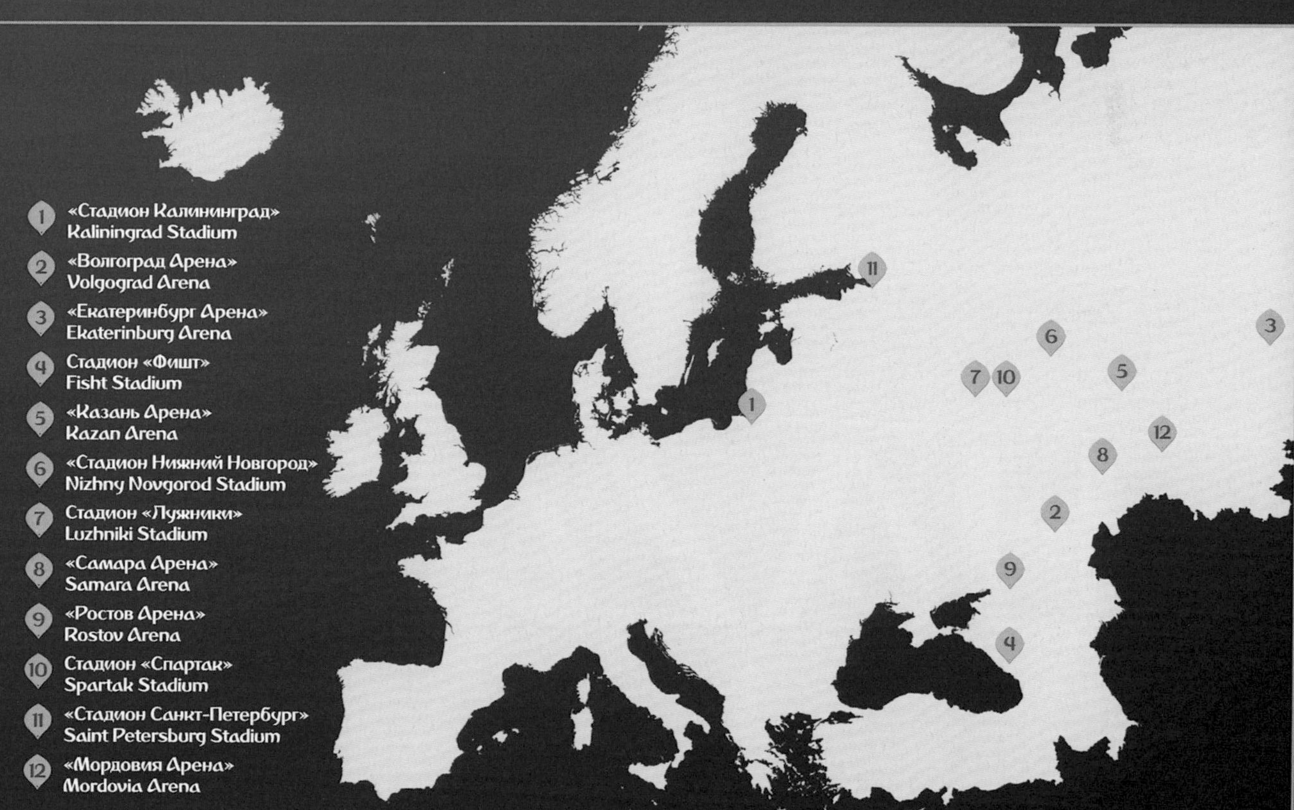

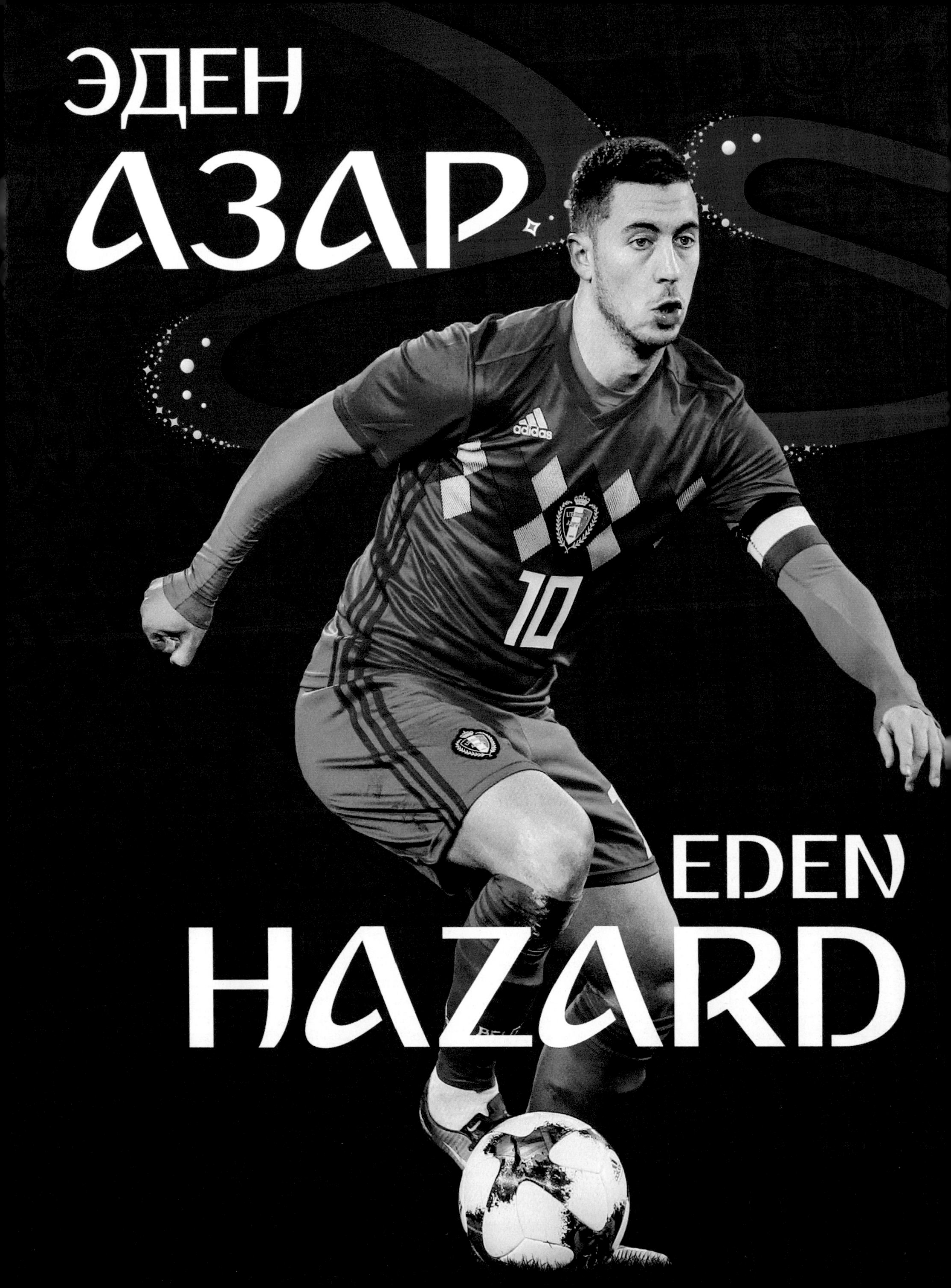
ЭДЕН
АЗАР
EDEN
HAZARD

Интервью Доминик Блисс
Interview by Dominic Bliss

ЗВЕЗДА СБОРНОЙ БЕЛЬГИИ РАССКАЗАЛ О ТОМ, КАКОВО ЭТО ЕХАТЬ НА ЧЕМПИОНАТ МИРА FIFA В КАЧЕСТВЕ ОДНОГО ИЗ ФАВОРИТОВ ТУРНИРА

RU **Какие цели ставит перед собой сборная Бельгии на этом Чемпионате мира FIFA?**
У нас такая команда с таким хорошим подбором игроков, что мы отправляемся на турнир, чтобы... не хочу сказать «победить», потому что выиграть Чемпионат мира — задача непростая... Но, объединив усилия во имя общей цели, мы сможем многого добиться. Достаточно посмотреть, как хороши наши игроки и тренер. Так что все в наших руках.

Но, знаете, в Бельгии об этом очень много говорят, и перед УЕФА Евро два года назад было то же самое: «Мы хотим победить! Мы хотим победить!» А затем мы выбыли в четвертьфинале. Хватит разговоров, надо показать, чего мы стоим, на поле.

В Бельгии на нынешнюю команду возлагают серьезные надежды?
Да, так думают многие, потому что мы играем вместе уже пять лет. Иногда появляются новые молодые игроки, и они тоже очень высокого уровня, так что всем известно, что у нас хорошая команда. Теперь осталось только это продемонстрировать: перестать говорить и начать делать. Мы должны показать всем, что Бельгия способна побеждать.

У вашей команды невероятная глубина состава, и, на начало 2018 года, вы занимали пятое место в мире в Мировом рейтинге FIFA. Можно ли теперь сравнивать Бельгию с сильнейшими сборными мира?
Думаю, нам необходим менталитет победителя, которым мы пока не обладаем. Если он появится, возможно, мы добьемся чего-то стоящего. Это единственное, что нужно добавить, потому что всем известно, какими игроками мы обладаем в лице Де Брейне, Куртуа, Лукаку, Карраско, Мертенса и многих других. Так что да, для победы нам необходим менталитет победителя, а на поле у нас достаточно хороших игроков.

Похоже, Бельгия, выиграв девять из десяти отборочных матчей Чемпионата мира, постепенно обзаводится таким менталитетом...
Да, мы лишь один раз сыграли вничью. Да, группа была не самой сложной, но мы свою работу выполнили. Забили много голов, мало пропускали. Надеюсь, правильный

THE BELGIUM STAR GIVES A PLAYER'S VIEW ON WHAT IT'S LIKE TO COME INTO THE FIFA WORLD CUP™ AS ONE OF THE FANCIED TEAMS

EN **What ambitions do Belgium have in this World Cup?**
When you see the squad we have, and how good the players are, I think we go there and try to...I don't want to say "win", because winning a World Cup is not simple, but if everyone has the same ambition, I think we can do something special. When you see the quality of our players and the quality of the manager, we have everything in our hands to do something good.

But, you know, in Belgium we talk a lot about this, and for the Euros two years ago it was the same: "We want to win, we want to win!" Then, after the quarter-finals, we were out. So, enough talk, we need to show it on the pitch.

Are the people of Belgium optimistic about this team?
Yeah, I think everybody knows about us, because now we have been playing together for five years. Sometimes we bring new young players in, and they are quality players as well, so everyone knows we have a good team. Now we just need to show it, and stop talking about it. Now we need to show everyone that Belgium can try to win something.

There is incredible strength in depth in this squad and, at the start of 2018, you were ranked fifth in the world by FIFA. Can we start to compare this Belgium side with the best international teams out there?
I think we need that winning mentality that we don't have yet. If we bring this, maybe we can achieve something. It's the only thing, because you know what quality players we have when you see people like De Bruyne, Courtois, Lukaku, Carrasco, Mertens - we have a lot. So, yes, we need this kind of mentality to try to win, and then, on the pitch, for sure we have quality.

It seems that winning mentality is developing, because Belgium won nine of their ten World Cup qualifiers...
Yeah, we only drew once. Okay, the group was not so difficult, but we did the job. We scored a lot of goals and didn't concede a lot, so I hope this mentality comes with games and experience. I think if we have this, we can achieve something.

What are the classic World Cup performances that Belgians talk about and repeat on TV to this day?
Mexico '86. Belgium reached the semi-finals that year. That's the one they talk about every time, but they want our generation to do better, because they were good, for sure, but I think we have more quality in the team now than 30 years ago.

Азар открывает счёт в прошлогоднем товарищеском матче между Бельгией и Мексикой
Hazard opens the scoring for Belgium in a friendly against Mexico last year

менталитет приходит с опытом. Если он у нас будет, мы способны на многое.

Какие матчи сборной Бельгии считаются классическими и по сей день демонстрируются по телевидению?
Игры Чемпионата мира 1986 года. Тогда в Мексике Бельгия дошла до полуфинала. Об этом постоянно вспоминают, но все хотят, чтобы наше поколение выступило еще лучше. Потому что та команда была, безусловно, хороша, но мне кажется, мы даже сильнее.

Бельгия оказалась в одной группе с Англией. Это будет одна из игр, к которой приковано внимание всего мира?
Разумеется. В таком матче хотел бы сыграть каждый. Хорошо, что мы встречаемся в последней игре группового этапа, потому что, если мы выиграем два первых матча, поединок с Англией не будет решающим. Но, разумеется, хочется обыграть англичан, потому что там будут игроки «Челси» вроде Гари Кэхилла или, быть может, Рубена Лофтус-Чика. Естественно, я хочу обыграть партнеров

Belgium are in the same group as England. Do you think that will be one of those games that everyone in the world tunes into?
Of course. Everyone wants to play in this kind of game. We are lucky that we play each other in the last game of the group stage, because if we win the first two, we can go up against England without it being such a big, big game. But of course we want to beat England, because I think there will be some Chelsea players, like Gary Cahill or maybe Ruben Loftus-Cheek, in the team. I want to beat my team-mates – that's normal – because next season I want to be able to say to them, "Oh, I won against England!" That's an obligation!

There won't be too many mysteries for the players on either side in that game because so many of them will know each other from Premier League matches...
No, but it's still a good game to play in. It's almost like a Premier League game and the players will know each other. It's always good

по клубу, тогда в следующем сезоне смогу сказать: «Да, я же выиграл у Англии!» Обязательно!

Игрокам обеих команд не стоит ждать сюрпризов, ведь многие из них знают друг друга по выступлениям в английской Премьер-лиге...
Действительно, но это все равно интересный матч. Это почти как игра Премьер-лиги, и футболисты хорошо знают друг друга. Всегда здорово играть против знакомых, как, например, против сборной Франции.

Ваш главный тренер Роберто Мартинес тоже хорошо знает, как играют в Англии. Каково это – играть под его началом?
Да, он, и правда, работал в Англии несколько лет, но он испанец, а значит, любит, чтобы команда контролировала мяч. Ему нравится пробовать разные схемы, но он хочет, чтобы мяч оставался у нас, так мы сможем создавать больше проблем сопернику. Я придерживаюсь той же философии. Предпочитаю быть с мячом, я не носиться по полю в его поисках.

В штаб сборной Бельгии входит Тьерри Анри. Каков он в роли тренера?
Он отличный парень, многое объясняет нападающим и, разумеется, одновременно он с нами и сам учится, потому что хочет когда-нибудь стать главным тренером. Он может передать команде собственный опыт, и это здорово, когда в ней есть такой человек.

Опыт предыдущего Чемпионата мира, когда вы дошли до четвертьфинала, поможет вам в этот раз?
На прошлом Чемпионате мира мы проиграли Аргентине, будущему финалисту турнира, так что думаю, мы хорошо выступили. Мы выиграли три матча в группе, а в следующем раунде обыграли США 2:1. Когда доходишь до четвертьфинала и встречаешься там с серьезной командой, либо выигрываешь, либо проигрываешь. Такие дела. Но теперь нам надо собрать опыт прошедших четырех лет вместе и под руководством нового главного тренера постараться выступить лучше, чем в прошлый раз. Так и сделаем. ✦

С тренером Тьерри Анри
With coach Thierry Henry

Бельгийскую сборную отличает глубина состава
The Belgium squad has strength in depth

to play against the people we see a lot, like France as well.

Coach Roberto Martínez also knows the English game well. What is it like to play for him?
Okay, he was in England for a few years, but he's from Spain, so he wants to keep the ball every time. He likes to try different systems, but he wants us to have possession because the more we keep the ball, the more we can create problems for the other team. That's the same philosophy that I have. I want the ball. I don't want to run after the ball, so that's it.

Thierry Henry is involved in the Belgium set-up as well. What is he like as a coach?
He's a good guy. He talks a lot with the strikers and, of course, he is there to learn his job because he wants to be a manager. He can bring his own experiences to the team and it's great to have this kind of guy with the team.

Do you feel your experiences at the last World Cup, where you reached the last eight, will help you this time?
In the last World Cup we lost against Argentina, the finalists, so I think we did well. We won our three games in the group and then we won 2-1 against the United States in the next round. Then, when you reach the quarter-finals and play against a big team, you can win or you can lose. That's how it is. But now we need to bring four more years of experience together, under a new manager, and try to do better than last time. So, let's go for it. ✦

БРАЗИЛИЯ

BRASIL

БРАЗИЛИЯ

BRAZIL

СТАТИСТИКА
ALL-TIME STATS

Наибольшее число игр: Кафу (142)
Лучший бомбардир: Пеле (77)
Прозвище: *Seleção* (селесао, букв. «команда»)
Наивысший рейтинг FIFA: 1 (восемь раз)
Самая крупная победа: 14:0 над Никарагуа, 17 октября 1975

Most caps: Cafu (142)
Most goals: Pelé (77)
Nickname: *Seleção* (The Squad)
Highest FIFA ranking: 1st (on eight different occasions)
Biggest win: 14-0 v. Nicaragua, 17 October 1975

RU **Если и есть национальная сборная, которая с полным правом может называться лучшей в истории, то это, безусловно, Бразилия. На счету этой команды не только больше всех титулов чемпиона мира, футбол в её исполнении неизменно привлекает и восхищает болельщиков.**

Бразилия побеждала на Чемпионатах мира FIFA пять раз, а список звёзд, которые выступали за южноамериканскую команду в разные годы, займёт несколько страниц.

Возможно, самым знаменитым бразильцем является Пеле, которого часто называют лучшим игроком в истории футбола, но кроме него стоит вспомнить и Роналдо, Жаирзиньо, Кафу, Дунгу, Зико и многих других, кто десятилетиями ковал славу Бразилии.

Однако, прошло уже 16 лет с тех пор, как Бразилия поднимала над головой заветный Кубок Чемпионата мира по футболу FIFA. Особенно обидно было упустить эту возможность дома четыре года назад.

Желание прервать эту «засуху» в Бразилии растёт с каждым днём. Новое поколение игроков жаждет добыть трофей в России и подарить радость своим болельщикам.

EN **Footballing royalty does not come any bigger or better than Brazil. Not only are they historically the most successful FIFA World Cup™ team of all time, but they also continue to play in a manner that entertains and excites.**

Brazil have won this tournament on five different occasions and the list of astonishingly skilful players to emerge from the South American country runs on for page after page.

Pelé is probably the most famous Brazilian footballer of all time – and is usually regarded as the greatest-ever player – but then there are also the likes of Ronaldo, Jairzinho, Cafu, Dunga, Zico and a host of others who have kept the world entertained for so many years.

However, it is now 16 years since Brazil lifted the FIFA World Cup Trophy and patience is starting to wear thin back home, especially as they fell short four years ago on home soil.

The clamour to end what is classed as a "drought" in Brazil grows by the day and a new generation of Brazilian legends needs to come to the fore in Russia to make this football-obsessed country smile again.

BRAZIL

ВЫХОД НА ЧЕМПИОНАТ МИРА FIFA
FIFA WORLD CUP CLINCHER

Бразилии не пришлось волноваться за судьбу путёвки на Чемпионат мира футболу FIFA 2018™. В сравнении с другими командами её путь на турнир получился простым и лёгким.

В марте 2017 года Бразилия стала первой сборной, пробившейся на Чемпионат мира FIFA в России. Она выиграла 12 из 18 матчей квалификации, проиграв лишь раз и пропустив только 11 голов. Нечасто бывает, чтобы отборочные кампании давались так легко.

Brazil had absolutely no concerns when it came to qualifying for the 2018 FIFA World Cup and, when compared with some South American countries, they made it look very easy indeed.

In fact, Brazil were the first side to qualify, way back in March 2017, as they won 12 of their 18 qualifiers, losing only once and conceding just 11 goals. Qualification campaigns for major tournaments are rarely as smooth as that.

ГЛАВНЫЙ ТРЕНЕР
THE COACH

Тите

Тите удалось здорово начать карьеру главного тренера сборной Бразилии, которую он возглавил в июне 2016 года. Он с лёгкостью вывел команду на турнир в России. Хотя он не так известен, как предыдущие тренеры сборной, Тите пользуется большим уважением и любовью своих игроков.

Главным успехом в карьере для него стала победа с «Коринтианс» на Чемпионате мира по футболу FIFA среди клубов в 2012 году. После увольнения Дунги многие хотели именно Тите видеть в сборной.

Он выиграл свой первый матч на новом посту и больше не оглядывался назад.

Tite

Tite has enjoyed a wonderful start to his Brazilian managerial career after taking over in June 2016 and he guided Brazil to Russia with ease. Although not as demonstrative as some previous Brazil managers, Tite is widely liked and highly regarded by the players at his disposal.

His biggest domestic success came with Corinthians in 2012 when they won the FIFA Club World Cup and he was a popular choice after Dunga was sacked.

He won his first match in charge and has not looked back since.

ЛУЧШИЙ МОМЕНТ НА ЧЕМПИОНАТЕ МИРА FIFA

Удар Карлоса Альберто на 86-й минуте матча против Италии зафиксировал счёт 4:1 в финале Чемпионата мира по футболу FIFA 1970™ . Он считается одним из красивейших командных голов в истории.

BEST FIFA WORLD CUP MOMENT

Carlos Alberto's 86th-minute strike against Italy to seal a 4-1 win in the final of the 1970 FIFA World Cup™ is rightly regarded as the finest team goal of all time.

ГЕРОЙ ЧЕМПИОНАТА МИРА FIFA

Обладатель трёх титулов чемпиона мира FIFA и автор 12 голов на четырёх турнирах Пеле, без сомнения, был одним из самых лучших и талантливых игроков в истории турнира.

FIFA WORLD CUP HERO

With three FIFA World Cup victories to his name and no fewer than 12 tournament goals, Pelé was a truly heroic and brilliantly talented player.

БРАЗИЛИЯ - BRAZIL

КЛЮЧЕВОЕ ТРИО / THE KEY THREE

ФИЛИППЕ КОУТИНЬО

В январе этого года Коутиньо перешёл из «Ливерпуля» в «Барселону», и одно можно сказать точно — в каталонском клубе выступают только очень хорошие футболисты.

Коутиньо способен забивать голы на любой вкус, но выдающимся игроком его делают видение поля, способность отдать великолепный пас и яркие выступления в атаке.

PHILIPPE COUTINHO

Coutinho left Liverpool for fellow European giants Barcelona in January this year and one thing is certain – nobody moves to the Camp Nou unless they are a genuinely fine player.

Coutinho can score all types of goals but it is his delivery, passing skills and willingness to attack that really help him stand out as a remarkable performer.

НАИВЫСШЕЕ ДОСТИЖЕНИЕ НА ЧМ
BEST WORLD CUP PERFORMANCE
ЧЕМПИОН, 1958, 1962, 1970, 1994, 2002
WINNERS, 1958, 1962, 1970, 1994, 2002

ПАУЛИНЬО

Одноклубник Коутиньо отлично видит поле, талантлив, смел и умеет мастерски забивать голы.

29-летний футболист, за годы выступлений успевший поиграть за «Коринтианс» и «Тоттенхэм», выходит на пик своей карьеры. В России за ним нужен глаз да глаз. Стоит дать ему мяч и пространство, он обязательно накажет соперника.

PAULINHO

A team-mate of Coutinho's and a man equally blessed with vision, talent, courage and great goalscoring ability.

The 29-year-old, who has clubs like Corinthians and Tottenham Hotspur on his CV, is hitting the peak of his career and will surely be one to watch in Russia. If defences give him time or space, he can really punish opponents.

СЫГРАНО МАТЧЕЙ НА ЧМ
WORLD CUP FINALS MATCHES PLAYED

104

ЗАБИТО ГОЛОВ НА ЧМ
WORLD CUP FINALS GOALS SCORED

221

НЕЙМАР

Неймар дорого обошёлся «Пари Сент-Жермен» летом 2017 года, но нет сомнений, что потраченные деньги он вернёт сторицей.

Это один из лучших футболистов мира, уверенный в своих силах и невероятно талантливый. Стоит ему получить мяч перед воротами или возле штрафной, и стоит ждать волшебства.

NEYMAR

Neymar cost Paris Saint-Germain an awful lot of money last season but there is no doubt he will repay them comfortably.

He is one of the best players in the world, supremely confident and simply a joy to watch. When he gets the ball in front of goal or in an attacking position, fireworks are guaranteed.

ГРУППА
GROUP
E

ШВЕЙЦАРИЯ

ШВЕЙЦАРИЯ

SWITZERLAND

СТАТИСТИКА
ALL-TIME STATS

Наибольшее число игр: Хайнц Херманн (118)
Лучший бомбардир: Александр Фрай (42)
Прозвище: *Schweizer Nati* (*«национальная команда Швейцарии»*)
Наивысший рейтинг FIFA: 3 (август 1993)
Самая крупная победа: 9:0 над Литвой, 25 мая 1924

Most caps: Heinz Hermann (118)
Most goals: Alexander Frei (42)
Nickname: *Schweizer Nati* (Swiss National Team)
Highest FIFA ranking: 3rd (August 1993)
Biggest win: 9-0 v. Lithuania, 25 May 1924

RU **Для Швейцарии турнир в России станет четвёртым подряд Чемпионатом мира FIFA, в котором она принимает участие. Такого в истории этой сборной ещё не было. Кроме того, это позволит стереть из памяти воспоминания о далёком прошлом, когда швейцарцы раз за разом наблюдали за праздником со стороны.**

Между Чемпионатами мира FIFA 1966 и 2006 годов Швейцарии удалось лишь один раз, в 1994 году, квалифицироваться для участия в Чемпионате мира FIFA. Но игроки команды намерены наверстать упущенное в России.

Четыре года назад для швейцарцев турнир закончился на стадии 1/8 финала, когда в дополнительное время они проиграли Аргентине, но даже в той кампании им удалось наглядно показать миру, на что они способны.

Это хорошо организованная, сбалансированная и дисциплинированная команда. Любому сопернику, который встретится ей в России, придётся очень постараться, чтобы взломать её оборонительные редуты.

EN **This will be the fourth consecutive FIFA World Cup™ for Switzerland – their best-ever run – which has also helped to erase memories of the decades when they had to sit on the sidelines and simply watch the world's greatest tournament from afar.**

Between the 1966 and 2006 FIFA World Cups, Switzerland qualified for just one tournament, USA 1994, but they are determined to make up for lost time and lost opportunities in Russia.

Four years ago, their tournament was ended at the round-of-16 stage after succumbing to Argentina in an extra-time loss but that 2014 edition showcased Switzerland's strengths.

They are well organised, well balanced, and extremely disciplined in defence, and any side that beats them in Russia will have to work especially hard to break them down at the back.

SWITZERLAND

E ГРУППА GROUP

ВЫХОД НА ЧЕМПИОНАТ МИРА FIFA
FIFA WORLD CUP CLINCHER

Швейцарии пришлось всерьёз потрудиться, чтобы добыть путёвку на Чемпионат мира по футболу FIFA 2018, хотя большую часть отборочного турнира она провела очень хорошо.

После победы над Португалией в первом матче швейцарцы выиграли восемь матчей подряд, но не смогли оторваться от преследовавших их португальцев. В решающем матче пиренейская команда оказалась сильнее, и Швейцарии только после победы над Северной Ирландией в стыковых матчах удалось получить право отправиться на турнир в России.

Switzerland had to work hard to qualify for Russia despite playing superbly in the vast majority of their matches.

After an opening win against Portugal, they then won eight more matches on the trot but could not shake off Portugal, who beat them in a crucial last match, meaning Switzerland had to defeat Northern Ireland in a play-off in order to be present at the 2018 FIFA World Cup.

ГЛАВНЫЙ ТРЕНЕР
THE COACH

Владимир Петкович

В изменчивом мире футбола Владимир Петкович является островком тренерской стабильности и уверенности. Сборной Швейцарии он руководит с 2014 года.

В качестве тренера Петкович успел поработать на клубном уровне с командами из Боснии, Швейцарии, Сербии и Словении, он также тренировал швейцарские клубы и римский «Лацио».

После того, как Швейцария покинула Чемпионата мира FIFA по футболу 2014 , Петкович сменил на посту тренера сборной Оттмара Хитцфельда и сразу принялся за дело.

Vladimir Petković

In the turbulent world of football management, Vladimir Petković represents solidity and longevity, having been in charge of Switzerland since 2014.

His own playing career took him to clubs in Bosnia, Switzerland, Serbia and Slovenia and he then went on to manage clubs such as Bellinzona, Lugano, Young Boys, Sion and Lazio.

He replaced Ottmar Hitzfeld following Switzerland's elimination from the 2014 FIFA World Cup and has not looked back, maintaining the disciplined defensive approach and superb fitness levels that are the hallmark of every Swiss side.

ЛУЧШИЙ МОМЕНТ НА ЧЕМПИОНАТЕ МИРА FIFA

Победа над считавшейся фаворитом сборной Италии со счётом 4:1 позволила Швейцарии выйти в четвертьфинал Чемпионата мира по футболу FIFA 1954 и стала сюрпризом для многих.

BEST FIFA WORLD CUP MOMENT

A 4-1 win over Italy at the 1954 FIFA World Cup put Switzerland into the quarter-finals and shocked the heavily fancied Italians.

ГЕРОЙ ЧЕМПИОНАТА МИРА FIFA

Хет-трик Джердана Шакири четыре года назад позволил швейцарцам выйти в 1/8 финала турнира.

FIFA WORLD CUP HERO

Xherdan Shaqiri's hat-trick against Honduras four years ago sealed a round-of-16 spot.

ШВЕЙЦАРИЯ - SWITZERLAND

КЛЮЧЕВОЕ ТРИО / THE KEY THREE

ГРАНИТ ДЖАКА

Гранит Джака — один из важнейших игроков центра поля в лондонском «Арсенале», а его карьере в сборной может помочь успешное выступление на турнире в России. Джаке всего 25 лет, и он уже сейчас один из ключевых футболистов швейцарской команды. Это игрок, постоянно демонстрирующий отличную игру как в атаке, так и в обороне.

GRANIT XHAKA

Granit Xhaka is a midfield mainstay for Arsenal in the Premier League and his Switzerland career could really explode into life in Russia.

Aged just 25, he has become an incredibly important member of the Swiss squad and he is a consistent and reliable performer in both defence and attack.

БРЕЛЬ ЭМБОЛО

Брель Эмболо очень молод, и у него вся футбольная карьера впереди, но он уже не раз доказывал свою важность для сборной Швейцарии.

Звезда гельзенкирхенского «Шальке» обладает отличной скоростью и мощью, и хотя он забивает не особенно много, его трудолюбие и игра на команду заслуживают всяческих похвал.

BREEL EMBOLO

Breel Embolo has the footballing world at his feet and despite his tender years, he has already proven his worth to the Swiss side many times over.

The Schalke 04 star has pace and strength in abundance, and although he is not a prolific goalscorer, his teamwork and work ethic for those around him are exemplary.

ДЖЕРДАН ШАКИРИ

На Чемпионате мира по футболу FIFA 2018 не найдётся сборной, которая отказалась бы заполучить в свои ряды Джердана Шакири.

Он стал главной движущей силой английского «Стоук Сити» и обладает поистине культовым статусом в Швейцарии после того, как три года назад оформил хет-трик на Чемпионате мира FIFA.

Это очень техничный игрок, который отлично видит поле и обладает великолепным ударом. Просто смотрите за ним и наслаждайтесь.

XHERDAN SHAQIRI

Every nation at the 2018 FIFA World Cup would love to have Xherdan Shaqiri's name on the teamsheet.

He has been a revelation for Stoke City in the Premier League and he is already a cult hero in his homeland, especially after his FIFA World Cup hat-trick four years ago.

He is full of tricks and is also blessed with a fearsome shot.

НАИВЫСШЕЕ ДОСТИЖЕНИЕ НА ЧМ
BEST WORLD CUP PERFORMANCE
ЧЕТВЕРТЬФИНАЛ, 1934, 1938, 1954
QUARTER-FINALS, 1934, 1938, 1954

СЫГРАНО МАТЧЕЙ НА ЧМ
WORLD CUP FINALS MATCHES PLAYED
33

ЗАБИТО ГОЛОВ НА ЧМ
WORLD CUP FINALS GOALS SCORED
45

КОСТА-РИКА - COSTA RICA

КОСТА-РИКА

СТАТИСТИКА ALL-TIME STATS

Наибольшее число игр: Вальтер Сентено (137)
Лучший бомбардир: Роландо Фонсека (47)
Прозвище: *La Sele* (букв. «сборная»)
Наивысший рейтинг FIFA: 13 (февраль-март 2015)
Самая крупная победа: 12:0 над Пуэрто-Рико 10 декабря 1946

Most caps: Walter Centeno (137)
Most goals: Rolando Fonseca (47)
Nickname: *La Sele* (The Selection)
Highest FIFA ranking: 13th (February-March 2015)
Biggest win: 12-0 v. Puerto Rico, 10 December 1946

RU **На Чемпионате мира по футболу FIFA 2018™ Коста-Рика попала в сложную группу, но после того, что случилось четыре года назад, она может не бояться трудностей.**

В 2014 году Коста-Рика оказалась в одной группе с Италией, Уругваем и Англией. Все три соперника прежде выигрывали Чемпионат мира FIFA и на том турнире вновь мечтали о триумфе.

И всё же именно костариканцы неожиданно для многих сумели квалифицироваться из группы, выиграв два матча и ещё в одном добившись ничьей. В 1/8 финала они по пенальти победили Грецию и только в четвертьфинале уступили Нидерландам.

Тот успех подарил Коста-Рике уверенность в своих силах, и главный тренер Оскар Рамирес уверен, что в России его команда сможет добиться многого.

Эту веру разделяет и команда. Трудолюбивая и умелая сборная Коста-Рики, без сомнения, этим летом обзаведётся новыми поклонниками.

EN **Costa Rica are in a difficult group at the 2018 FIFA World Cup™ but after what happened four years ago, why should they fear what stands in front of them?**

Back at the 2014 edition, they were drawn in the same group as Italy, Uruguay and England – three former FIFA World Cup winners and three sides with dreams of glory.

Yet Costa Rica – brilliantly and somewhat unexpectedly – qualified from that group by winning two matches and drawing the other, making it through to the round of 16 in some style where they beat Greece on penalties before succumbing to the Netherlands in the quarter-finals.

That success has given the Costa Ricans a burst in confidence that remains to this day, and manager Óscar Ramírez believes his side can cause some real upsets in Russia.

His confidence is shared by his entire team and Costa Rica's hard-working and entertaining style is sure to win plenty of new fans in Russia.

ГРУППА GROUP E

КОСТА-РИКА

ЛУЧШИЙ МОМЕНТ НА ЧЕМПИОНАТЕ МИРА FIFA

На турнире 1990 года Шотландия, как ожидалось, не должна была встретить сопротивление в лице Коста-Рики, но гол Хуана Каяссо позволил последней одержать сенсационную победу.

BEST FIFA WORLD CUP MOMENT

At the 1990 FIFA World Cup™, Scotland were expected to easily overcome Costa Rica but a goal from Juan Cayasso helped them secure one of the biggest shock victories in tournament history.

ГЕРОЙ ЧЕМПИОНАТА МИРА FIFA

Победный гол Брайана Руиса в матче против Италии на турнире 2014 года и его точный удар в игре против греков в 1/8 позволил ему занять место в списке легенд Коста-Рики.

FIFA WORLD CUP HERO

Bryan Ruiz's winner against Italy at the 2014 FIFA World Cup™ and his strike against Greece in the round-of-16 clash helped cement his place as a Costa Rican great.

ВЫХОД НА ЧЕМПИОНАТ МИРА FIFA FIFA WORLD CUP CLINCHER

Коста-Рика обеспечила себе путёвку на Чемпионат мира FIFA, в октябре 2017 года сыграв вничью с Гондурасом (1:1) в предпоследнем матче квалификационного турнира КОНКАКАФ.

В Сан-Хосе Гондурас открыл счёт первым благодаря точному удару Эдди Эрнандеса, но упорство Коста-Рики принесло свои плоды, когда на пятой добавленной минуте Кендалл Уостон сравнял счёт.

Costa Rica secured their place at the 2018 FIFA World Cup™ with 90 minutes to spare as they drew 1-1 with Honduras in a CONCACAF qualification clash in October last year.

In San Jose, Honduras took the lead thanks to an Eddie Hernández header but Costa Rica are not a side that gives up easily and Kendall Waston equalised in the fifth minute of stoppage time.

ГЛАВНЫЙ ТРЕНЕР THE COACH

Оскар Рамирес

В Коста-Рике Оскар Рамирес стал настоящей легендой футбола, проявив себя как на поле, так и на тренерской скамейке.

С 1985 по 1997 годы он провёл 75 матчей за сборную. Хорошо проявив себя в качестве тренера «Алахуэленсе», в 2015 году Рамирес получил повышение и сменил в сборной Пауло Ванчопе.

Рамиреса любят игроки. Он держит своё слово, и, пообещав, что побреет голову, если Коста-Рика получит путёвку в Россию, после гарантировавшего результат матча с Гондурасом разрешил вратарю Кейлору Навасу остричь себе волосы.

Óscar Ramírez

Óscar Ramírez is a footballing icon and hero in Costa Rica thanks to all his efforts on both sides of the touchline.

He played 75 times for Costa Rica between 1985 and 1997, and after enjoying success as coach of Alajuelense, he graduated to the national team job in 2015, replacing Paulo Wanchope.

Ramírez is well liked in the Costa Rica dressing room and he celebrated qualification for Russia by holding up his end of a bet as he allowed goalkeeper Keylor Navas to shave all his hair off after FIFA World Cup qualification was sealed.

COSTA RICA

E ГРУППА GROUP

КЛЮЧЕВОЕ ТРИО / THE KEY THREE

КЕНДАЛЛ УОСТОН

Центральный защитник Кендалл Уостон известен не только своим умением забивать решающие голы.

Это высокий и крепкий футболист, который отлично читает игру и обладает хорошей скоростью. Уостон — один из столпов сборной Коста-Рики.

KENDALL WASTON

It is not just Waston's goalscoring exploits from central defence that make him such an asset for Costa Rica.

The tall and tough tackler is a great reader of the game, he has plenty of pace and is one of the lynchpins of the Costa Rica side.

КЕЙЛОР НАВАС

Невероятно одарённый, атлетичный и надёжный вратарь Кейлор Навас заслужил множество похвал, защищая ворота мадридского «Реала».

Он отлично проявил себя на прошлом Чемпионате мира FIFA. Четыре года назад Навас был одним из претендентов на «Золотую перчатку». Он наверняка поборется за неё и на этот раз.

KEYLOR NAVAS

Keylor Navas is a superbly gifted, athletic and dependable goalkeeper who has won a host of honours in goal for the mighty Real Madrid.

He has previous FIFA World Cup experience too, having been nominated for the Golden Glove award four years ago, and that will surely come to the fore once more in Russia.

МАРКОС УРЕНЬЯ

Нападающий «Лос-Анджелеса» Маркос Уренья обладает взрывной скоростью, доставляет немало хлопот защитникам и регулярно забивает голы.

На чемпионате мира FIFA в России именно он будет нести основную угрозу ворота соперника в составе Коста-Рики.

MARCO UREÑA

Marco Ureña has an electric turn of pace, he can beat defenders on the inside or on the outside and he is always hungry to get forward and score goals.

The Los Angeles FC star is one of Costa Rica's biggest attacking threats and should thrive in the pressure-cooker arena of a FIFA World Cup.

НАИВЫСШЕЕ ДОСТИЖЕНИЕ НА ЧМ
BEST WORLD CUP PERFORMANCE
ЧЕТВЕРТЬФИНАЛ, 2014
QUARTER-FINALS 2014

СЫГРАНО МАТЧЕЙ НА ЧМ
WORLD CUP FINALS MATCHES PLAYED

15

ЗАБИТО ГОЛОВ НА ЧМ
WORLD CUP FINALS GOALS SCORED

17

ГРУППА
GROUP
E

СЕРБИЯ

СЕРБИЯ

SERBIA

СТАТИСТИКА
ALL-TIME STATS

Наибольшее число игр: Деян Станкович (103)
Лучший бомбардир: Степан Бобек (38)
Прозвище: *«орлы»*
Наивысший рейтинг FIFA: 6 (декабрь 1998)
Самая крупная победа: 8:1 над Венесуэлой (как сборная Югославии), 14 июня 1972

Most caps: Dejan Stanković (103)
Most goals: Stjepan Bobek (38)
Nickname: *The Eagles*
Highest FIFA ranking: 6th (December 1998)
Biggest win: 8-1 v. Venezuela (while competing as SFR Yugoslavia), 14 June 1972

RU **То, что Сербия не смогла квалифицироваться для участия в Чемпионате мира по футболу FIFA 2014™, стало шоком для её поклонников. К счастью, теперь всё забыто.**

Команда Младена Крстаича определённо вызывает уважение, кроме того, она располагает техничными игроками, а её колоритные болельщики поддерживают своих игроков, как никто в Европе.

Игроки лишь немногих сборных относятся к выступлениям за национальную команду с той же страстью и патриотизмом, с каким это делают сербы. В сложных ситуациях это может стать определяющим, а группу, в которую попала Сербия, простой не назовёшь.

Таким игрокам, как Александару Коларову и Мияту Гачиновичу, вряд ли представится более удобный шанс упрочить свою репутацию сильнейших спортсменов, чем турнир в России. И хотя планы Сербии в преддверии чемпионата мира оказались несколько спутаны увольнением Славолюба Муслина, команда едина, голодна до побед и жаждет отплатить своим преданным болельщикам сторицей.

EN **Serbia's failure to qualify for the 2014 FIFA World Cup™ caused huge upset and concern across the country but now, thankfully, that is all forgotten.**

Mladen Krstajić's side are certainly a squad to respect and a team to watch and they have some priceless ability all through their side, aligned with arguably the most passionate and colourful fans in European football.

Few nations have a team that plays with the same desire and patriotism as Serbia's players and, in tight moments, that might just provide the crucial edge in what is sure to be a difficult group in Russia.

Stars such as Aleksandar Kolarov and Mijat Gaćinović will never have a better chance to cement their sporting reputations as they will in Russia, and although Serbia had some disruption to their World Cup plans when they sacked manager Slavoljub Muslin last year, they are unified, hungry and desperate to repay their fans' unique dedication.

SERBIA

ВЫХОД НА ЧЕМПИОНАТ МИРА FIFA
FIFA WORLD CUP CLINCHER

Сербия получила свою путёвку на Чемпионат мира по футболу FIFA в России после домашней победы над Грузией (1:0) в октябре прошлого года.

Гол Александара Прийовича позволил ей занять первое место в группе D с 21 очком, набранным в десяти матчах, шесть из которых сербы выиграли. В среднем, команда забивала по два гола за игру, и это сыграло решающую роль в успехе.

Serbia finally secured their ticket to Russia thanks to a 1-0 home victory over Georgia last October.

An Aleksandar Prijović goal saw them top Group D as they picked up 21 points from their ten encounters, including six victories, and they scored an average of two goals a game, a crucial factor in their qualification success.

ГЛАВНЫЙ ТРЕНЕР
THE COACH

Младен Крстаич

Младен Крстаич не ожидал того, что ему придётся руководить сборной на Чемпионате мира по футболу FIFA 2018™, но отказываться от такой возможности он не стал.

Славолюб Муслин был тренером, с которым Сербия завоевала право сыграть на турнире, однако, он был уволен в октябре 2017 года, и временно исполняющим обязанности тренера стал Крстаич. В декабре за ним закрепили этот пост.

В своё время Крстаич играл за сборную единой Югославии, теперь ему представился шанс использовать свой опыт игрока во благо национальной команды.

Mladen Krstajić

Mladen Krstajić did not expect to be leading his country out at the 2018 FIFA World Cup™ but it is an opportunity he gleefully accepted.

Slavoljub Muslin was the man who secured qualification but he was dismissed in October 2017 and Krstajić was given the job on a caretaker basis before being named full-time manager in December.

Krstajić was a versatile defender when Serbia was still part of Yugoslavia and now is his chance to follow up an impressive playing career with glory in a managerial capacity.

ЛУЧШИЙ МОМЕНТ НА ЧЕМПИОНАТЕ МИРА FIFA

Победный гол Милана Йовановича в ворота Германии на Чемпионате мира по футболу FIFA 2010™ принёс радость всей Сербии и её болельщикам.

BEST FIFA WORLD CUP MOMENT

Milan Jovanović's winner against Germany at the 2010 FIFA World Cup was an incredible moment for Serbia and their fans.

ГЕРОЙ ЧЕМПИОНАТА МИРА FIFA

Бранислав Иванович станет одним из немногих игроков, которые были капитанами своей сборной на двух Чемпионатах мира FIFA с разницей в восемь лет. Потрясающий футболист.

FIFA WORLD CUP HERO

Branislav Ivanović should become one of the few players to have captained their national side in two FIFA World Cup tournaments, eight years apart. A consistent performer.

СЕРБИЯ - SERBIA

КЛЮЧЕВОЕ ТРИО / THE KEY THREE

СЕРГЕЙ МИЛИНКОВИЧ-САВИЧ

Полузащитник Сергей Милинкович-Савич родился в Испании. 23-летний игрок может стать одной из самых ярких звёзд Сербии на Чемпионате мира по футболу FIFA в России.

В последние годы он является одним из ключевых игроков центральной линии римского «Лацио» и с возрастом будет становиться только сильнее.

SERGEJ MILINKOVIĆ-SAVIĆ

Sergej Milinković-Savić was born in Spain but the 23-year-old has committed himself to Serbia and he really could be a man to watch in Russia.

He has become a mainstay of Lazio's midfield in recent years and can only get better as he becomes older and stronger.

He certainly has the technical ability and mindset needed to become a Serbian great.

АЛЕКСАНДАР МИТРОВИЧ

Шесть голов Александара Митровича сыграли важнейшую роль в том, чтобы Сербия смогла квалифицироваться для участия в Чемпионате мира по футболу FIFA 2018. Этот игрок способен наводить ужас на защитников соперника.

Митрович отличается мощным телосложением, ему нравится участвовать в единоборствах, и на футбольном поле он не боится никого.

ALEKSANDAR MITROVIĆ

Aleksandar Mitrović's six goals were crucial in helping Serbia qualify for the 2018 FIFA World Cup and his talent and potential will surely frighten plenty of opponents in Russia.

He has all the tools needed to be an imposing striker, he likes the physical side of the sport and he shows no fear on the international stage.

НЕМАНЬЯ МАТИЧ

Неманья Матич относится к тому типу полузащитников оборонительного плана, которые делают очень много, но редко получают признание.
На поле Матич появляется везде, где того требует ситуация, причём одновременно. Этот игрок стал любимцем Жозе Моуриньо в «Манчестер Юнайтед», что подтверждает — он обладает мастерством, которое восхищает даже лучших специалистов.

NEMANJA MATIĆ

Nemanja Matić is the type of defensive midfielder that usually gets little credit for the unbelievable work they do.

He appears to be everywhere on the pitch, all at the same time, and he has become a firm favourite of José Mourinho at Manchester United, which proves he has the calibre to impress the very best football professionals.

НАИВЫСШЕЕ ДОСТИЖЕНИЕ НА ЧМ
BEST WORLD CUP PERFORMANCE
4-Е МЕСТО, 1930, 1962
4TH, 1930, 1962

СЫГРАНО МАТЧЕЙ НА ЧМ
WORLD CUP FINALS MATCHES PLAYED

43

ЗАБИТО ГОЛОВ НА ЧМ
WORLD CUP FINALS GOALS SCORED

64

ГРУППА
GROUP
F

ГЕРМАНИЯ

DEUTSCHER FUSSBALL-BUND

ГЕРМАНИЯ

GERMANY

СТАТИСТИКА ALL-TIME STATS

Наибольшее число игр: Лотар Маттеус (150)
Лучший бомбардир: Мирослав Клозе (71)
Прозвище: *Die Mannschaft* («команда»)
Наивысший рейтинг FIFA: 1 (декабрь 1992 — август 1993, декабрь 1993 — март 1994, июнь 1994, июль 2014 — июнь 2015, июль 2017, сентябрь 2017 — настоящее время)
Самая крупная победа: 16:0 над Россией, 1 июля 1912

Most caps: Lothar Matthäus (150)
Most goals: Miroslav Klose (71)
Nickname: *Die Mannschaft* (The Team)
Highest FIFA ranking: 1st (December 1992 - August 1993, December 1993 - March 1994, June 1994, July 2014 - June 2015, July 2017, September 2017 - present)
Biggest win: 16-0 v. Russian Empire, 1 July 1912

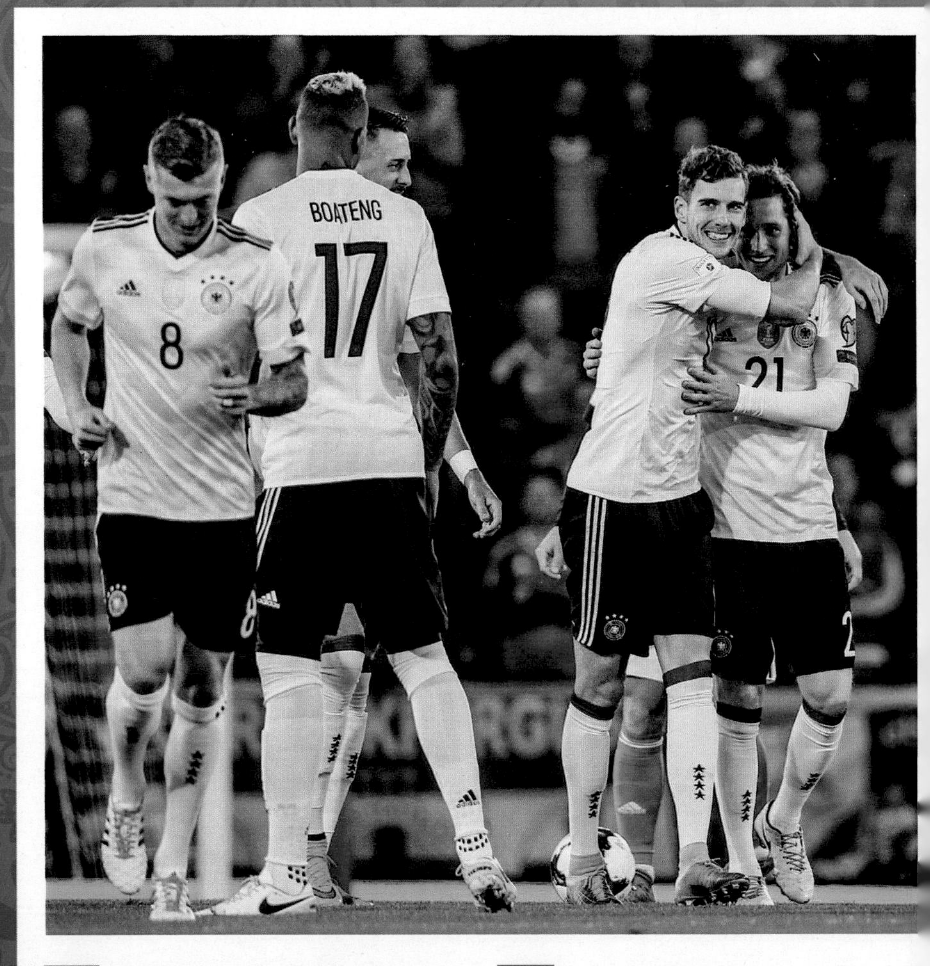

RU **Сборная Германии выиграла четыре Чемпионата мира FIFA, четыре раза становилась финалистом и ещё четыре раза финишировала третьей на турнире.**

Другими словами, на 12 турнирах из 18, в которых они принимали участие, немецкие футболисты входили в тройку сильнейших.

Определённо, это одна из величайших футбольных команд в истории.

Тренеры сборной Германии далеки от сантиментов. Какие бы игроки ни отправились на Чемпионат мира FIFA в цветах сборной, можно быть уверенными, они покажут отличный футбол и подойдут к турниру на пике своей формы.

Даже если у других команд найдутся более техничные и звёздные игроки, ни одна другая сборная не сможет сравниться с Германией в том, что касается командной игры и менталитета победителя. Действующий обладатель Кубка Чемпионата мира FIFA будет фаворитом в России.

EN **Of all the FIFA World Cups that Germany have participated in, they have won four, been runners-up a further four times and also finished third on another four occasions.**

In other words, they have been in the top-three sides in the world on 12 out of the 18 tournaments they have taken part in.

In short, they are one of the greatest footballing nations the world has ever seen.

That consistency, and that ruthlessness, means every German side that takes the field has a formidable reputation for being able to produce their best football at a FIFA World Cup as they have perfected the art of peaking at the right time.

The current holders of the FIFA World Cup Trophy will again be the ones to watch this time around and while other nations may have players with more flair and who gain more headlines, Germany's teamwork, technical ability and winning mentality means that they once again will be one of the favourites.

GERMANY

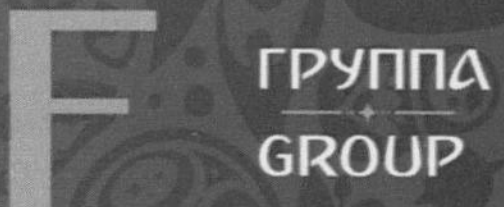

ВЫХОД НА ЧЕМПИОНАТ МИРА FIFA
FIFA WORLD CUP CLINCHER

На пути в Россию Германия не встретила серьёзного сопротивления. В группе С команда заняла первое место, на 11 очков опередив Северную Ирландию, финишировавшую второй.

Команда Йоахима Лёва выиграла все десять матчей, забила 43 гола, пропустив четыре. Это только подчёркивает, насколько эффективно играет эта сборная.

Germany had nothing to worry about on their way to Russia as they won Group C by a huge 11-point margin from second-placed Northern Ireland.

Joachim Löw's side won all ten of their qualifiers, scoring 43 and conceding just four goals in the process, underlining once again that they are brilliantly effective at both ends of the pitch.

ГЛАВНЫЙ ТРЕНЕР
THE COACH

Йоахим Лёв

На данный момент в Европе не найдётся тренера, который работает со сборной дольше, чем Йоахим Лёв, возглавивший Германию в 2006 году.

После поражения в финале Чемпионата Европы по футболу УЕФА 2008 он укрепил оборону команды, глубине состава которой можно лишь позавидовать. Триумфом на Чемпионате мира по футболу FIFA 2014 в Бразилии™ Германия, во многом, обязана тактике и организаторским способностям Лёва.

Он может стать вторым после итальянца Витторио Поццо специалистом, сумевшим выиграть два Чемпионата мира FIFA в качестве тренера.

Joachim Löw

Joachim Löw is currently the longest-serving manager in European football having become Germany boss in 2006.

After a loss in the final of UEFA EURO 2008, he has solidified Germany's defence and utilised his country's superb strength in depth. Their triumph at the 2014 FIFA World Cup Brazil™ was in no small part down to Low's tactics and man-management capabilities.

He would love to join Italy's Vittorio Pozzo as the only man to have managed two FIFA World Cup-winning sides.

ЛУЧШИЙ МОМЕНТ НА ЧЕМПИОНАТЕ МИРА FIFA

С чего бы начать? Победа ФРГ на Венгрией со счётом 3:2 в финале Чемпионата мира FIFA 1954 года дала старт славным традициям немецкой сборной.

BEST FIFA WORLD CUP MOMENT

Where to begin? West Germany's 3-2 win over Hungary at the 1954 FIFA World Cup™ got their astonishing winning record up and running.

ГЕРОЙ ЧЕМПИОНАТА МИРА FIFA

На Чемпионате мира по футболу FIFA 1970™ Герд Мюллер выиграл Золотую бутсу, и его имя вошло в немецкий спортивный фольклор.

FIFA WORLD CUP HERO

Gerd Müller won the Golden Boot at the 1970 FIFA World Cup™ to cement his place in German sporting folklore.

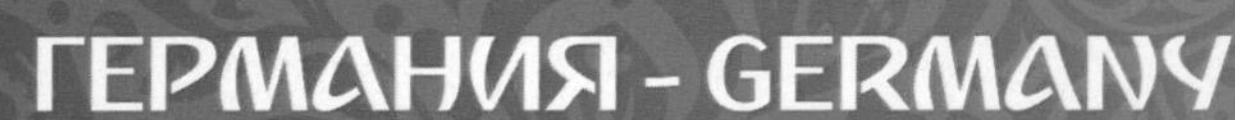

КЛЮЧЕВОЕ ТРИО / THE KEY THREE

ЖЕРОМ БОАТЕНГ

Четыре года назад Жером Боатенг сыграл ключевую роль в успехе немецкой команды на Чемпионате мира FIFA. Одним из столпов команды он остаётся по сей день.

В последнее время его преследовали травмы, однако, это по-прежнему один из самых эффективных и стабильных защитников Бундеслиги.

JÉRÔME BOATENG

Jérôme Boateng was crucial four years ago when *Die Mannschaft* lifted the FIFA World Cup Trophy and he is likely to be just as integral a part of Germany's squad this time around.

He has struggled with injuries recently but remains one of the *Bundesliga*'s most consistent and effective defenders.

МЕСУТ ОЗИЛ

Болельщики лондонского «Арсенала» любят Месута Озила, обладающего талантом с лёгкостью вскрывать оборонительные порядки соперников.

Он двигается непредсказуем и стремителен, обладает отличной техникой и ударом с левой ноги.

В своей лучшей форме это один из сильнейших распасовщиков мира.

MESUT ÖZIL

Mesut Özil is a huge fans' favourite at Arsenal and the Premier League star can open up opposition defences at will.

His movement is superb, he has great technical ability on the ball and his left foot can be deadly in goalscoring situations.

He is one of the best playmakers in the world on his day.

ТОНИ КРООС

Тони Кроос — потрясающий атакующий полузащитник, который выступает за мадридский «Реал» так же успешно, как и за сборную Германии.

Техничный и сообразительный игрок способен не только найти точным пасом партнёра по команде, но и создать момент для себя, он регулярно угрожает воротам соперника.

TONI KROOS

Toni Kroos is a superb attacking midfielder and his spell at Real Madrid has been just as successful as his time in a Germany shirt.

Both Real and his country benefit from his superb flair and his quick-thinking style that not only brings his team-mates into play but also makes him a significant goal threat himself.

НАИВЫСШЕЕ ДОСТИЖЕНИЕ НА ЧМ
BEST WORLD CUP PERFORMANCE
ЧЕМПИОН, 1954, 1974, 1990, 2014
WINNERS, 1954, 1974, 1990, 2014

СЫГРАНО МАТЧЕЙ НА ЧМ
WORLD CUP FINALS MATCHES PLAYED
106

ЗАБИТО ГОЛОВ НА ЧМ
WORLD CUP FINALS GOALS SCORED
224

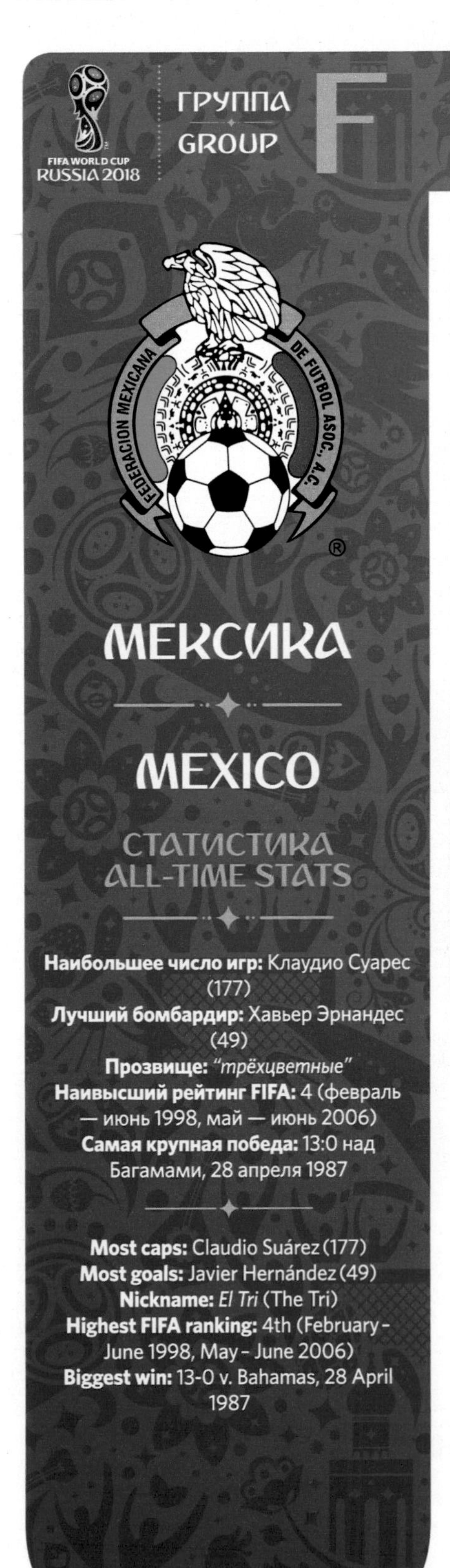

FIFA WORLD CUP RUSSIA 2018

ГРУППА · GROUP F

МЕКСИКА

МЕКСИКА

MEXICO

СТАТИСТИКА ALL-TIME STATS

Наибольшее число игр: Клаудио Суарес (177)
Лучший бомбардир: Хавьер Эрнандес (49)
Прозвище: *"трёхцветные"*
Наивысший рейтинг FIFA: 4 (февраль — июнь 1998, май — июнь 2006)
Самая крупная победа: 13:0 над Багамами, 28 апреля 1987

Most caps: Claudio Suárez (177)
Most goals: Javier Hernández (49)
Nickname: *El Tri* (The Tri)
Highest FIFA ranking: 4th (February - June 1998, May - June 2006)
Biggest win: 13-0 v. Bahamas, 28 April 1987

RU **Лучшие воспоминания болельщиков сборной Мексики связаны с Чемпионатом мира по футболу FIFA 1986™, когда она принимала турнир. С тех пор у команды не получалось значительно продвинуться в плей-офф.**

Это седьмой подряд Чемпионат мира FIFA, в котором принимают участие мексиканцы, и на предыдущих шести они неизменно выбывали на стадии 1/8 финала.

Однако, у сборной Мексики определённо есть повод для оптимизма, ведь она располагает сильной командой, показывающей качественный и увлекательный футбол.

Такие игроки, как Эктор Морено, Гильермо Очоа и Андрес Гуардадо, без сомнения, продемонстрируют свои сильнейшие качества и менталитет победителя в России, попытавшись впервые за 32 года выйти в четвертьфинал.

С точки зрения Мексики, это определённо станет успехом, а если получится добиться большего, болельщики будут в полном восторге.

EN **Mexico fans have to go back to the last time they hosted the 1986 FIFA World Cup™ for a reason to really celebrate as recently they have struggled to get into the latter stages of the tournament.**

This is their seventh consecutive FIFA World Cup and the previous six tournaments have all ended at the round-of-16 stage.

Yet Mexico do have plenty of cause for optimism as they certainly have a squad capable of playing competitive and captivating football.

Players such as Héctor Moreno, Guillermo Ochoa and Andrés Guardado will undoubtedly show their qualities and winning mentality in Russia as they bid to finally end the long 32-year wait for a spot in the last eight.

For Mexico, that would surely represent success; any more than that would represent true nationwide ecstasy.

MEXICO

F ГРУППА GROUP

ВЫХОД НА ЧЕМПИОНАТ МИРА FIFA
FIFA WORLD CUP CLINCHER

Мексике не пришлось прикладывать сверхусилия, чтобы квалифицироваться на Чемпионат мира по футболу FIFA 2018™. В пятом раунде отборочного турнира КОНКАКАФ команда стала первой, на пять очков опередив Коста-Рику и набрав 21 очко.

Игра мексиканцев в квалификационной кампании показала, что «трёхцветные» — единая и дисциплинированная команда, одинаково хорошо умеющая атаковать и защищаться.

Mexico made short work of qualifying for the 2018 FIFA World Cup™, winning CONCACAF Round 5 in an emphatic manner, fending off Costa Rica by five points and finishing on an impressive 21 points.

The manner in which they despatched their opponents suggests that *El Tri* are a united and disciplined side capable of scoring and defending well in equal measure.

ГЛАВНЫЙ ТРЕНЕР
THE COACH

Хуан Карлос Осорио

Колумбийский специалист Хуан Карлос Осорио известен своим научным подходом к работе — решающее значение при выборе игроков для него играют статистика и результаты физических упражнений. Он постоянно ищет, как сделать свои тренировки и методы эффективнее.

Осорио любит путешествовать по миру, перенимая опыт коллег. Так он, например, посещал «Селтик», чтобы посмотреть за работой Брендана Роджерса.

Эта работа приносит результат — Мексика без проблем получила путёвку в Россию, но не стоит забывать о крупном поражении от Германии на Кубке Конфедерации FIFA год назад (1:4).

Juan Carlos Osorio

The Colombian is renowned for being an incredibly intense coach who loves poring through statistics and fitness results to find his best players - and he is constantly researching and refining his training routines and managerial style.

He enjoys visiting other coaches around the globe - such as Brendan Rodgers at Celtic - to listen, learn and understand how they work.

That research appears to be working as Mexico made it to Russia with some ease, although a poor FIFA Confederations Cup semi-final loss to Germany last year hurt his reputation.

ЛУЧШИЙ МОМЕНТ НА ЧЕМПИОНАТЕ МИРА FIFA

Неберующийся удар Мануэля Негрете в ворота Болгарии в матче 1/8 финала Чемпионата мира по футболу FIFA 1986™ по сей день остаётся одним из красивейших голов в истории турнира.

BEST FIFA WORLD CUP MOMENT

Manuel Negrete's stunning strike against Bulgaria in their 1986 FIFA World Cup™ round-of-16 match is one of the finest goals in tournament history.

ГЕРОЙ ЧЕМПИОНАТА МИРА FIFA

Уго Санчес был главной звездой сборной Мексики, когда в 1986 году команда дошла до четвертьфинала Чемпионата мира FIFA.

FIFA WORLD CUP HERO

Hugo Sánchez was the poster boy of Mexican football the last time his national team made it to the FIFA World Cup quarter-finals in 1986.

МЕКСИКА - MEXICO

КЛЮЧЕВОЕ ТРИО / THE KEY THREE

ЭКТОР МОРЕНО

Чтобы Мексика выполнила свои задачи на турнир в России, защитник «Реал Сосьедад» Эктор Морено должен продемонстрировать максимум своих возможностей. Однако, 30-летний игрок обороны не боится брать на себя груз ответственности.

В Европе он выступал за четыре клуба, принимал участие в двух предыдущих розыгрышах Чемпионата мира FIFA и всегда готов отдать все силы на благо команды.

HÉCTOR MORENO

Real Sociedad defender Héctor Moreno will have to be at his best if Mexico are to thrive in Russia but the 30-year-old will certainly not be daunted by the pressure on his shoulders.

He has played for top sides throughout Europe, he has played in two previous FIFA World Cups and he is an uncompromising performer who gives everything.

ХЕСУС МАНУЭЛЬ КОРОНА

Играющий за «Порту» Хесус Мануэль Корона умеет не только забивать голы, но и создавать моменты для партнёров.

25-летний фланговый полузащитник обладает великолепной скоростью и способен целыми днями своими трюками ставить защитников в тупик. Кроме того, он здорово играет в пас и очень трудолюбив.

JESÚS MANUEL CORONA

Jesús Manuel Corona plays for Porto and he is more than capable of scoring goals as well as providing them.

The 25-year-old winger has a wonderful turn of pace, he can trick defenders all day long and his distribution and work ethic are first class.

ХАВЬЕР ЭРНАНДЕС

Один из любимцев мексиканских болельщиков, Хавьер Эрнандес, также известный как «Чичарито», — один из самых опасных игроков атаки национальной команды.

Нападающий «Вест Хэма» обладает способностями оказываться в нужное время в нужном месте. Выступая за мадридский «Реал», «Манчестер Юнайтед» и леверкузенский «Байер» он неизменно забивал множество важнейших голов.

JAVIER HERNÁNDEZ

Javier "Chicharito" Hernández is one of Mexico's favourite sons and the manner in which he always seems to score for his country makes this high esteem understandable.

The West Ham striker has a knack for being in the right place at the right time, and spells at Manchester United, Real Madrid and Bayer Leverkusen all saw him score some crucial goals.

НАИВЫСШЕЕ ДОСТИЖЕНИЕ НА ЧМ
BEST WORLD CUP PERFORMANCE
ЧЕТВЕРТЬФИНАЛ, 1970, 1986
QUARTER-FINALS, 1970, 1986
СЫГРАНО МАТЧЕЙ НА ЧМ
WORLD CUP FINALS MATCHES PLAYED
53
ЗАБИТО ГОЛОВ НА ЧМ
WORLD CUP FINALS GOALS SCORED
57

ШВЕЦИЯ - SWEDEN

ШВЕЦИЯ

SWEDEN

СТАТИСТИКА ALL-TIME STATS

Наибольшее число игр: Андерс Свенссон (148)
Лучший бомбардир: Златан Ибрагимович (62)
Прозвище: *"сине-жёлтые"*
Наивысший рейтинг FIFA: 2 (ноябрь 1994)
Самая крупная победа: 12:0 над Латвией, 29 мая 1927, 12:0 над Южной Кореей, 5 августа 1948

Most caps: Anders Svensson (148)
Most goals: Zlatan Ibrahimović (62)
Nickname: *Blågult* (The Blue-Yellow)
Highest FIFA ranking: 2nd (November 1994)
Biggest win: 12-0 v. Latvia, 29 May 1927 / v. Korea Republic, 5 August 1948

RU **Группа F будет одной из самых сложных на Чемпионате мира по футболу FIFA 2018™, но после трудностей, с которыми пришлось столкнуться шведам на отборочном этапе, они вправе считать, что готовы справиться с любым соперником.**

Многие вспомнят, что в стыковых матчах Швеция по сумме двух встреч обыграла Италию, но ещё до этого на групповой стадии их соперниками были сборные Франции, Нидерландов и Болгарии.

И если кого-то и пугает перспектива оказаться в одной группе с Германией, Мексикой и Республикой Корея, то определённо не шведскую сборную.

В конце концов, Швеции не впервой преподносить сюрпризы на Чемпионате мира FIFA, и это при том, что население страны составляет всего 10 миллионов человек.

Лучшим выступлением команды стал выход в финал на турнире 1958 года, но есть и другие успехи — в 1950 и 1994 году она занимала третье место.

Последние два розыгрыша Чемпионата мира FIFA Швеция пропустила, но к состязаниям в России рассчитывает подойти во всеоружии.

EN **Group F may be one of the toughest at the 2018 FIFA World Cup™ but after overcoming some huge hurdles in qualification, Sweden will feel they can take on any challenge.**

Many will recall how the Swedes knocked Italy out over two legs of a play-off but by that stage they had already finished second in a group containing France, the Netherlands and Bulgaria.

So while some may wince at the prospect of trying to come through a FIFA World Cup group that includes Germany, Mexico and Korea Republic, the Swedes will be relishing the task.

After all, Sweden have a tremendous World Cup pedigree - despite their modest population of around ten million people.

Their best performance was when they finished runners-up as hosts in 1958, but they also came third in 1994 and 1950.

After missing out on the last two tournaments, Sweden will hope that this is another FIFA World Cup to remember.

ШВЕЦИЯ

ЛУЧШИЙ МОМЕНТ НА ЧЕМПИОНАТЕ МИРА FIFA

Проиграть со счётом 2:5 в важнейшем матче, который когда-либо проводила команда, обидно. Однако, если этот матч — финал «домашнего» Чемпионата мира FIFA, на котором сборная играла хорошо, пока не уступила в финале Пеле и его Бразилии, даже поражение может считаться огромным достижением.

BEST FIFA WORLD CUP MOMENT

Losing 5-2 in the biggest game your country has ever played isn't ideal, but when you've made it to the FIFA World Cup final on home soil, before losing out to a Pelé-inspired Brazil, it still has to be considered a fantastic achievement.

ГЕРОЙ ЧЕМПИОНАТА МИРА FIFA

Путь к полуфиналу Чемпионата мира по футболу FIFA 1994™ сборной Швеции проложила целая плеяда героев, но решающую роль сыграли голы Кеннета Андерссона. На групповом этапе он забил Бразилии, в 1/8 финала дважды поразил ворота Саудовской Аравии, в четвертьфинале под занавес игры с Румынией сравнял счёт, а затем точно исполнил свой удар с «точки» в серии послематчевых пенальти.

FIFA WORLD CUP HERO

Sweden's run to the semi-finals of the 1994 FIFA World Cup™ had many heroes but Kennet Andersson's goals proved crucial. He netted against Brazil in a group match, hit two against Saudi Arabia in the round of 16, and scored a late equaliser against Romania in the quarter-finals before converting his spot-kick in the victorious shoot-out.

ВЫХОД НА ЧЕМПИОНАТ МИРА FIFA
FIFA WORLD CUP CLINCHER

Дисциплина и самоотдача позволили шведам пройти на Чемпионат мира по футболу FIFA в России, возможно, самой тернистой тропой из всех возможных. На их пути стояла Италия, но крепкая игра в обороне в двух встречах и гол Якоба Йоханссона позволили команде Янне Андерссона одержать общую победу со счётом 1:0.

Прежде, чем получить право на участие в стыковых матчах, Швеция финишировала второй в своей группе, выбив из розыгрыша Нидерланды.

Самым ярким моментом кампании стал матч против сборной Франции, которая в десяти матчах проиграла только одной команде — шведской.

Discipline and determination saw Sweden through probably the toughest play-off route they could have been given.

Italy stood in their way and two clean sheets - plus a deflected Jakob Johansson strike - saw Janne Andersson's men earn a 1-0 aggregate win.

Sweden earned their play-off place after finishing second in their group, eliminating the Netherlands in the process.

The highlight of the group phase was inflicting group winners France's only defeat on them.

ГЛАВНЫЙ ТРЕНЕР
THE COACH

Янне Андерссон

После разочарования на Чемпионате Европы по футболу УЕФА 2016, когда Швеция не вышла из группы, главным тренером команды был назначен Янне Андерссон.

В трёх матчах во Франции шведы набрали всего одно очко, кроме того, они не смогли квалифицироваться на два последних Чемпионата мира FIFA, а Златан Ибрагимович завершил карьеру.

Приход Андерссона помог команде вернуть позитивный настрой, а следом пришли и результаты.

На клубном уровне Андерссон в 2015 году привёл «Норрчёпинг» к первому чемпионскому титулу за 26 лет.

Janne Andersson

The nation needed a lift after a disappointing UEFA EURO 2016 exit at the group stage and the appointment of Janne Andersson has helped to provide it.

Sweden only managed one point in their three games in France, and that came on the back of failing to qualify for the last two FIFA World Cups.

Andersson has provided positivity and results as his team have coped with the retirement of talisman Zlatan Ibrahimović.

In club football, he led IFK Norrköping to their first league title in 26 years in 2015.

SWEDEN

F ГРУППА / GROUP

КЛЮЧЕВОЕ ТРИО / THE KEY THREE

СЕБАСТЬЯН ЛАРССОН

Полузащитник Себастьян Ларссон — самый опытный игрок сборной Швеции, который всю свою карьеру провёл в Англии, выступая на высшем уровне за «Арсенал», «Бирмингем Сити» и «Сандерленд».

Он мастерски исполняет стандарты, почти десять лет играет за национальную команду и представлял Швецию на Чемпионатах Европы по футболу УЕФА 2008, 2012 и 2016 годов.

SEBASTIAN LARSSON

The midfield technician is Sweden's most experienced player and has spent his whole club career in England, usually at the highest level with Arsenal, Birmingham City or Sunderland.

A set-piece expert, he has spent nearly a decade with his national team, and was in the Sweden squad for UEFA EURO 2008, 2012 and 2016.

АНДРЕАС ГРАНКВИСТ

Мощный защитник сменил Златана Ибрагимовича в качестве капитана сборной Швеции, и он отлично справляется с новой ролью.

33-летний футболист за годы карьеры играл за «Уиган Атлетик», «Гронинген» и «Дженоа», а сейчас выступает за «Краснодар», где также является капитаном.

В 2017 году он был признан лучшим футболистом Швеции.

ANDREAS GRANQVIST

The imposing defender succeeded Zlatan Ibrahimović as Sweden captain and has done a magnificent job so far.

The well-travelled 33-year-old has played at Wigan Athletic, Groningen, and Genoa and has spent the past season captaining FC Krasnodar in Russia.

He was the Swedish player of the year in 2017.

МАРКУС БЕРГ

От талантливого нападающего ждали многого с тех пор, как в 2009 году он был признан лучшим игроком турнира на молодёжном Чемпионате Европы по футболу УЕФА, и он не разочаровал.

На клубном уровне он также хорошо играл за «Гётеборг», «ПСВ» и «Панатинаикос». Сейчас он выступает за «Аль Айн».

MARCUS BERG

The talented striker was earmarked to make a huge impact on the international stage as soon as he was named player of the tournament at the 2009 UEFA European U-21 Championship.

He has done well at club level too, scoring goals aplenty for IFK Gothenburg, PSV Eindhoven and Panathinaikos, and last season displayed his abilities with Al Ain.

НАИВЫСШЕЕ ДОСТИЖЕНИЕ НА ЧМ
BEST WORLD CUP PERFORMANCE

ФИНАЛИСТ, 1958
RUNNERS-UP 1958

СЫГРАНО МАТЧЕЙ НА ЧМ
WORLD CUP FINALS MATCHES PLAYED

46

ЗАБИТО ГОЛОВ НА ЧМ
WORLD CUP FINALS GOALS SCORED

74

ЮЖНАЯ КОРЕЯ

KFA

ЮЖНАЯ КОРЕЯ

KOREA REPUBLIC

СТАТИСТИКА ALL-TIME STATS

Наибольшее число игр: Хон Мён Бо (136)
Лучший бомбардир: Чха Бом Гын (57)
Прозвище: *"воины Инь-Ян"*
Наивысший рейтинг FIFA: 17 (декабрь 1998)
Самая крупная победа: 16:0 над Непалом, 29 сентября 2003

Most caps: Hong Myung-bo (136)
Most goals: Cha Bum-kun (57)
Nickname: *Taegeuk Warriors*
Highest FIFA ranking: 17th (December 1998)
Biggest win: 16-0 v. Nepal, 29 September 2003

RU **Сборная Республики Корея является самой успешной командой Азии в истории Чемпионатов мира FIFA. Корейцы финишировали четвёртыми на Чемпионате мира FIFA 2002, который они принимали у себя. В России они постараются повторить это достижение.**

Отборочная кампания к Чемпионату мира по футболу FIFA 2018™для «воинов Инь-Ян» получилась сложной, но, в целом, они квалифицировались на турнир чаще, чем любой другой представитель Азии — это появление станет для них десятым. В группе F корейцы будут серьёзной силой.

Син Тхэ Ён предпочитает схему 4-4-2, и, хотя в команде найдётся всего несколько известных всему миру игроков, зато эта сборная сильна командным духом и отличается трудолюбием.

Эти качества никогда не бывают лишними и, как показала история, именно они позволили Республики Корея получить путёвку в Россию.

EN **Historically speaking, Korea Republic are the most successful Asian side in the history of the FIFA World Cup™ - a record that saw them finish fourth in the tournament hosted on home soil 16 years ago - and they are desperate to further that record in Russia.**

The qualifying campaign for the 2018 FIFA World Cup™ may have been difficult for the Taegeuk Warriors but they have qualified for the tournament more times than any other Asian country - this will be their tenth tournament - and are likely to pose serious questions in Group F.

Using a 4-4-2 system, coach Shin Tae-yong has a squad that may only have one or two famous faces on the global stage but they certainly will have an emphasis on team spirit and hard work.

These are fine traits to have and, ultimately, they proved the difference in getting Korea Republic to Russia in the first place.

KOREA REPUBLIC

ВЫХОД НА ЧЕМПИОНАТ МИРА FIFA
FIFA WORLD CUP CLINCHER

Ожидалось, что Республика Корея с лёгкостью преодолеет этап квалификации к Чемпионату мира по футболу FIFA 2018, но в конечном итоге команда довольствовалась вторым местом, пропустив вперёд И.Р. Иран. Корейцы добыли только четыре победы в десяти матчах.

Ничья с Узбекистаном в сентябре прошлого года (0:0) принесла команде очко, которого оказалось достаточно, чтобы отправиться в Россию.

Korea Republic were expected to qualify in a rather straightforward manner for the 2018 FIFA World Cup™ but, in the end, they had to contend with a second-placed qualification spot behind IR Iran after winning just four of their ten qualifying encounters.

A 0-0 draw with Uzbekistan in September last year gave the South Koreans the point they required to start planning for Russia.

ГЛАВНЫЙ ТРЕНЕР
THE COACH

Син Тхэ Ён

Перед Син Тхэ Ёном была поставлена задача спасти отборочную кампанию, когда за два матча до конца квалификации был уволен предыдущий наставник команды Ули Штилике.

Хотя сперва Син Тхэ Ён был лишь временно исполняющим обязанности, но, добившись двух ничьих в двух матчах, он сохранил этот пост за собой. Прозванный «азиатским Моуриньо» тренер рассчитывает, что под его началом команда будет прогрессировать.

В прошлом Син Тхэ Ён дважды признавался лучшим игроком корейского чемпионата.

Shin Tae-yong

Shin Tae-yong was tasked with the job of riding to the managerial rescue for Korea Republic when previous manager Uli Stielike was dismissed with just two qualifying matches to go.

After first being appointed on a short-term basis, Shin has now been given the job on a full-time basis after securing two draws from those two matches and a man nicknamed "The Asian Mourinho" will be hoping that his charges can continue their improvement.

As a player, he had plenty of ability himself and won the K-League Most Valuable Player award twice.

ЛУЧШИЙ МОМЕНТ НА ЧЕМПИОНАТЕ МИРА FIFA

Гол Ан Джон Хвана в ворота Италии в дополнительное время матча 1/8 финала Чемпионата мира по футболу 2002™гола и поныне остаётся одним из самых драгоценных моментов в истории сборной Республики Корея.

BEST FIFA WORLD CUP MOMENT

Ahn Jung-hwan's extra-time winner against Italy in the round of 16 at the 2002 FIFA World Cup™ on home soil is a footballing moment that brought joy to an entire nation and is still revered to this day.

ГЕРОЙ ЧЕМПИОНАТА МИРА FIFA

Пак Чи Сон — единственный корейский игрок, который забивал на трёх Чемпионатах мира FIFA (2002, 2006, 2010), это настоящий герой национальной Республики Корея.

FIFA WORLD CUP HERO

Park Ji-sung is the only Korea Republic player to have scored at three editions of the FIFA World Cup™ (2002, 2006 and 2010) and he is a hero in his homeland.

ЮЖНАЯ КОРЕЯ - KOREA REPUBLIC

КЛЮЧЕВОЕ ТРИО / THE KEY THREE

ЛИ ДОН ГУК

Рекордсмен по количеству голов в национальном чемпионате уже двадцать лет выступает за сборную.

39-летний футболист, получивший от болельщиков прозвище «ленивый гений», со дня своего дебюта отыграл за национальную команду свыше 100 матчей. Даже будучи ветераном, он по-прежнему представляет опасность чужим воротам.

LEE DONG-GOOK

The K-League's record goalscorer seems to have been around forever but he is still a formidable forward and goalscorer.

The 39-year-old – sometimes called the *Lazy Genius* by fans – has played over 100 times for his country since making his debut 20 years ago and remains a deceptively sharp attacker with a real eye for goal.

ЛИ ГЫН ХО

Обладающий потрясающей скоростью фланговый полузащитник Ли Гын Хо дебютировал в сборной 11 лет назад и с тех пор является одним из ключевых игроков команды.

Он активно участвует в комбинационной игре и хорошо исполняет навесы, но способен и сам завершать атаки, что делает его почти незаменимым в сборной.

LEE KEUN-HO

Lee Keun-ho is a pacy winger who made his international debut 11 years ago and has been an attacking mainstay for Korea Republic ever since.

His link-up play and crossing ability are his two major strengths and he can also be a clinical finisher when given the opportunity.

СОН ХЫН МИН

В последние годы Сон Хын Мин стал одним из лучших игроков «Тоттенхэм Хотспур» и за сборную Республики Корея он играет так же здорово.

Он обладает прекрасным пасом, умеет отлично распорядиться мячом и хорошо действует в атаке — на Чемпионате мира по футболу FIFA 2018™ он определённо привлечёт к себе внимание.

SON HEUNG-MIN

Tottenham Hotspur have seen the very best of Son Heung-min in recent times and his international prowess has also been impressive.

His passing ability, mischievousness on the ball and desire to attack all make him stand out as one of the hottest properties at the 2018 FIFA World Cup™.

НАИВЫСШЕЕ ДОСТИЖЕНИЕ НА ЧМ
BEST WORLD CUP PERFORMANCE
4-Е МЕСТО, 2002
4TH, 2002

СЫГРАНО МАТЧЕЙ НА ЧМ
WORLD CUP FINALS MATCHES PLAYED
31

ЗАБИТО ГОЛОВ НА ЧМ
WORLD CUP FINALS GOALS SCORED
31

Дома и стены помогают

Мяч исчезает за Роберто Карлосом и оказывается в сетке бразильских ворот. Второй точный удар головой Зинедина Зидана в этой встрече закрепил преимущество французов в финале Чемпионата мира FIFA 1998 года. Затем Эммануэль Пети забил третий мяч, и сборная Франции получила заветный трофей.

Home comforts

The ball disappears behind Roberto Carlos of Brazil and into the net as Zinedine Zidane's second headed goal of the game put France 2-0 up in the 1998 FIFA World Cup™ final. Emmanuel Petit later scored a third as the French won the Official Trophy on home soil.

LM

БЕЛЬГИЯ

БЕЛЬГИЯ

BELGIUM

СТАТИСТИКА ALL-TIME STATS

Наибольшее число игр: Ян Вертонген (98)
Лучший бомбардир: Ромелу Лукаку (31)
Прозвище: *красные дьяволы*
Наивысший рейтинг FIFA: 1 (ноябрь 2015 — март 2016)
Самая крупная победа: 9:0 над Замбией, 4 июня 1994

Most caps: Jan Vertonghen (98)
Most goals: Romelu Lukaku (31)
Nickname: *The Red Devils*
Highest FIFA ranking: 1st (November 2015 - March 2016)
Biggest win: 9-0 v. Zambia, 4 June 1994

RU **Кажется невероятным, что команда, за которую играют настолько талантливые игроки, до сих пор ни разу не смогла реализовать свой потенциал на высшем уровне.**

Четвёртое место на Чемпионате мира по футболу FIFA 1986™ — это максимум, которого добивались бельгийцы на турнире. Однако, в распоряжении Роберто Мартинеса сейчас настолько классные футболисты, что у Бельгии есть прекрасный шанс пройти дальше четвертьфинала, на этапе которого она остановилась четыре года назад.

Немного найдётся команд, атака которых укомплектована так же хорошо, как бельгийская. Такие имена, как Ромелу Лукаку, Кевин де Брёйне, Ян Вертонген, Маруан Феллайни, Муса Дембеле и Венсан Компани известны всему миру.

Если Мартинес сможет с максимальной пользой использовать таланты своих игроков, и если бельгийцы сыграют так же хорошо, как в отборочной кампании, у «красных дьяволов» есть все шансы добиться успеха в России.

EN **It seems remarkable that a team as historically talented as Belgium have so far failed to fulfil their potential on the highest stage.**

A fourth-placed spot at the 1986 FIFA World Cup™ is the furthest they have ever progressed at this tournament, although the talent at Roberto Martínez's disposal this time around will give Belgium a great chance of going further than the quarter-finals, which was where their journey ended four years ago.

There are few football squads in the world as well equipped or as attacking as Belgium's, and players like Romelu Lukaku, Kevin De Bruyne, Jan Vertonghen, Marouane Fellaini, Mousa Dembélé and Vincent Kompany are among some of the very biggest and best names in the world.

If Martínez can harness all that natural talent and if Belgium play as well as they did in the qualifiers, then *The Red Devils* have an outstanding opportunity to go all the way in Russia.

BELGIUM

ВЫХОД НА ЧЕМПИОНАТ МИРА FIFA
FIFA WORLD CUP CLINCHER

Бельгия блестяще выступила на этапе квалификации, выиграв девяти матчей из десяти и не проиграв ни разу.

Однако, интересны не только результаты, но и то, как они были добыты. В десяти играх были забиты невероятные 43 гола, так что команда Роберто Мартинеса подтвердила, что её атака — одна из лучших в мире.

Belgium were simply superb in their qualifying campaign, winning nine of their ten encounters and drawing the other.

However, it was the manner of their play that stood out more than the results. A remarkable 43 goals were scored in those ten matches, showing that Roberto Martínez's side are one of the most attacking outfits in the world.

ГЛАВНЫЙ ТРЕНЕР
THE COACH

Роберто Мартинес

В 2016 году Роберто Мартинес сменил на тренерском посту футбольного идола Бельгии Марка Вилмотса, и с тех пор команда с каждой игрой становится всё сильнее.

Бывший тренер «Уигана» и «Эвертона» сумел найти эффективное применение талантливым футболистам атакующей линии и привил им ту же захватывающую манеру игры, которая так впечатляла всех, когда он работал в Премьер-лиге.

Мартинес активен и в матчах редко присаживается на скамейку. После того, как сделал свою сборную первой в истории европейской командой, квалифицировавшейся на турнир при двух матчах в запасе, испанец впервые отправится на Чемпионат мира FIFA в качестве главного тренера.

Roberto Martínez

Roberto Martínez replaced national football hero Marc Wilmots in 2016 and Belgium have gone from strength to strength.

The former Wigan Athletic and Everton manager has harnessed Belgium's incredible depth of talent to good effect and he has installed the same kind of attacking football mindset that so entertained fans in the Premier League.

A popular, articulate manager, this will be Martínez's first FIFA World Cup™ as a manager, having led his side to become the first European nation to qualify for the finals, doing so with two games to spare.

ЛУЧШИЙ МОМЕНТ НА ЧЕМПИОНАТЕ МИРА FIFA

Когда Лео ван дер Эльст вышел к «точке», чтобы исполнить последний удар с одиннадцатиметровой в четвертьфинале против Испании в 1986 году, и вывел Бельгию в первый в её истории полуфинал Чемпионата мира FIFA.

BEST FIFA WORLD CUP MOMENT

When Leo van der Elst stepped up to convert the final penalty in the quarter-final against Spain in 1986 and put Belgium into the semi-finals for the first - and so far only - time in their history.

ГЕРОЙ ЧЕМПИОНАТА МИРА FIFA

В 2002 году на турнире в Японии и Южной Корее Марк Вилмотс забил по голу в трёх матчах группового этапа и почти в одиночку вытащил её в 1/8 финала.

FIFA WORLD CUP HERO

Marc Wilmots' three goals in three matches at the 2002 FIFA World Cup Korea/Japan™ almost single-handedly helped Belgium into the round of 16.

БЕЛЬГИЯ - BELGIUM

КЛЮЧЕВОЕ ТРИО / THE KEY THREE

ЯН ВЕРТОНГЕН

Высокий защитник стал любимцем публики в «Тоттенхэм Хотспур» благодаря тому, что постоянно демонстрирует высокий уровень игры и делает всё, чтобы сохранить ворота в неприкосновенности.

Экс-игрок «Аякса» — рекордсмен Бельгии по числу матчей за сборную, а также её лидер на поле и вне его.

JAN VERTONGHEN

The tall defender has become a fans' favourite at Tottenham Hotspur for his consistency and willingness to do whatever it takes to try and keep a clean sheet.

The former Ajax man is Belgium's all-time leading appearance maker and is a real leader in the dressing room and on the pitch.

НАИВЫСШЕЕ ДОСТИЖЕНИЕ НА ЧМ
BEST WORLD CUP PERFORMANCE

4, 1986
4TH, 1986

СЫГРАНО МАТЧЕЙ НА ЧМ
WORLD CUP FINALS MATCHES PLAYED

41

ЗАБИТО ГОЛОВ НА ЧМ
WORLD CUP FINALS GOALS SCORED

52

РОМЕЛУ ЛУКАКУ

Когда начнётся Чемпионат мира по футболу FIFA 2018™ , Ромелу Лукаку едва исполнится 25 лет, но он уже успел многого добиться.

Он стабильно забивал в «Андерлехте», «Челси», «Вест Бромвиче», «Эвертоне» и «Манчестер Юнайтед», так что неудивительно, что уже сегодня Лукаку — лучший бомбардир своей сборной в истории.

ROMELU LUKAKU

When the 2018 FIFA World Cup™ kicks off, Romelu Lukaku will only just have turned 25 but he's already achieved so much.

Goal-laden spells at Anderlecht, Chelsea, West Brom, Everton and Manchester United mean the fact that he is already Belgium's top goalscorer of all time should not be a surprise.

КЕВИН ДЕ БРЁЙНЕ

Поклонники «Манчестер Сити» боготворят Кевина де Брёйне. Вместе с партнёром по сборной Венсаном Компани он является одним из лидеров «горожан».

Он великолепно исполняет стандартные положения и благодаря своей игре заслуженно считается одним из сильнейших игроков мира.

KEVIN DE BRUYNE

Manchester City fans adore Kevin De Bruyne for his all-round performances and, alongside fellow Belgian Vincent Kompany, he has become a mainstay of City's impressive squad.

De Bruyne can seriously hurt the opposition when he gets the ball, and his set-piece delivery makes him one of the best players in the world.

ПАНАМА

1937

ПАНАМА

PANAMA

СТАТИСТИКА ALL-TIME STATS

Наибольшее число игр: Габриэль Гомес (140)
Лучший бомбардир: Луис Техада (43)
Прозвище: *"канальщики"*
Наивысший рейтинг FIFA: 29 (март 2014)
Самая крупная победа: 12:1 над Пуэрто-Рико, 13 декабря 1946

Most caps: Gabriel Gómez (140)
Most goals: Luis Tejada (43)
Nickname: *Los Canaleros* (The Canal Men)
Highest FIFA ranking: 29th (March 2014)
Biggest win: 12-1 v. Puerto Rico, 13 December 1946

RU **Если вам хочется знать, какое значение квалификации на Чемпионат мира FIFA придают некоторые болельщики и даже целые нации, обратите свой взгляд на Панаму, путь которой в Россию получился, возможно, самым красочным.**

После десятилетий, проведённых в бесплодных попытках, 10 октября 2017 года Панама, наконец-то смогла пробиться на Чемпионат мира FIFA, в драматичном поединке с Коста-Рикой завоевав право сыграть в России.

Для страны с такими скромными футбольными ресурсами и небольшим населением само появление Панамы на турнире — уже огромное достижение и повод для национального праздника. Ничто в истории футбола Панамы не сможет сравниться с этим.

До этого единственным достижением этой сборной можно было с натяжкой назвать выход в финал Золотого кубка 2013 года, где Панама уступила США. Реванш за то поражение удался — Панама собирает чемоданы на турнир в Россию, а команда США готовится смотреть его по телевизору.

EN **If you want to know what qualifying for a FIFA World Cup™ can mean to some people - and, sometimes, entire nations - then look no further than Panama, who are likely to provide one of the most colourful and emotional stories in Russia.**

After decades of failed attempts and tears aplenty, on 10 October 2017, Panama were finally able to say that they would be playing in a FIFA World Cup as they booked their qualification for Russia in dramatic circumstances against Costa Rica.

For a country with such limited footballing resources and a small population, Panama's attendance in Russia is a truly remarkable sporting feat and nothing in the country's footballing history comes close to this moment.

Their only other slice of glory - if you can call it that - was finishing runners-up at the 2013 Gold Cup to the USA, but now revenge has been sweet as the USA missed out on Russia whereas Panama have their bags packed for a new adventure.

PANAMA

ВЫХОД НА ЧЕМПИОНАТ МИРА FIFA
FIFA WORLD CUP CLINCHER

С квалификацией на Чемпионат мира по футболу FIFA 2018 Панама тянула до последнего, но теперь это уже неважно.

Команде надо было выиграть у Коста-Рики в последнем матче и надеяться, что Тринидад и Тобаго победит США.

Удивительно, но всё сложилось наилучшим для панамцев образом — гол Романа Торреса на 87-й минуте принёс победу над Коста-Рикой, а США свой матч проиграли 1:2.

Panama left it extremely late to qualify for the 2018 FIFA World Cup™ but that does not matter now.

They needed to beat Costa Rica in their final match and hope that Trinidad and Tobago beat the USA.

Remarkably, everything went in their favour as an 87th-minute Román Torres goal earned a win against Costa Rica and the USA also lost 2-1.

ГЛАВНЫЙ ТРЕНЕР
THE COACH

Эрнан Дарио Гомес

Хотя Панама никогда прежде не участвовала в Чемпионатах мира FIFA, об их тренере Эрнане Дарио Гомесе того же не скажешь.

Колумбиец возглавил сборную Панамы в феврале 2014 года, это очень опытный специалист, который принимал участие в Чемпионатах мира FIFA 1990 и 1994 в качестве игрока, а в 1998 руководил командой Колумбии в качестве тренера.

Четыре года назад Гомес вывел на Чемпионат мира FIFA сборную Эквадора, но самым ярким моментом в карьере для него, без сомнения, стала квалификация на турнир с панамской командой.

Hernán Darío Gómez

Although Panama have never been at the World Cup before, the same cannot be said of their manager, Hernán Darío Gómez.

The Colombian took over in February 2014 and is a very experienced coach having been part of the Colombian set-up at the 1990 and 1994 FIFA World Cups™ before he became the coach of his national side for the 1998 FIFA World Cup™.

Four years later, he was back at the tournament with Ecuador but his finest hour to date was undoubtedly helping Panama qualify.

ЛУЧШИЙ МОМЕНТ НА ЧЕМПИОНАТЕ МИРА FIFA

Мало что может сравниться с накалом страстей, пережитым командой и её болельщиками, когда они добыли путёвку на Чемпионат мира FIFA.

BEST FIFA WORLD CUP MOMENT

Even if they had graced the FIFA World Cup before, few moments would have eclipsed the dramatic way they qualified for Russia 2018.

ГЕРОЙ ЧЕМПИОНАТА МИРА FIFA

Им, пожалуй, стал президент Панамы Хуан Карлос Варела, который после квалификации команды на турнир объявил этот день национальным праздником и выходным днём.

FIFA WORLD CUP HERO

It has to be Panama president Juan Carlos Varela as he gave the entire country the day off after they qualified for the 2018 FIFA World Cup™, declaring it a national holiday!

КЛЮЧЕВОЕ ТРИО / THE KEY THREE

РОМАН ТОРРЕС

Автор забитого мяча, который позволил панамцам выйти на чемпионат мира, Роман Торрес играет на позиции защитника и нечасто отличается голами.

С момента своего дебюта в 2005 году он остаётся столпом обороны сборной Панамы. Выступающий за «Сиэтл Саундерс» игрок физически крепок и хорошо знает своё дело.

ROMÁN TORRES

The goalscorer who sealed their passage to Russia was Román Torres, but he is actually a defender who rarely gets on the scoresheet.

He has been a rock for Panama since his debut in 2005 and the Seattle Sounders FC man is a model of physical strength, consistency and defensive prowess.

АРМАНДО КУПЕР

На счету тридцатилетнего полузащитника Армандо Купера свыше 100 матчей за сборную Панамы, что подчёркивает его важность для этой команды.

В минувшем сезоне он сменил «Торонто» на «Университет де Чили» и на турнире в России Купер постарается в очередной раз подтвердить, насколько ценным игроком сборной является.

ARMANDO COOPER

Thirty-year-old Armando Cooper is a veteran with around 100 appearances to his name, which underlines his importance to the Panama squad.

He left Toronto FC for Universidad de Chile earlier this year and the midfielder will be desperate to once again prove his worth to the national side, but this time at the highest level.

БЛАС ПЕРЕС

Опытный и умелый нападающий Блас Перес — один из лучших игроков Панамы.

Ветеран сборной после трёх неудачных отборочных кампаний наконец-то сможет принять участие в Чемпионате мира FIFA. Что может быть лучше на закате карьеры, чем голы на таком турнире?

Пересу достаточно дать шанс, и он накажет соперника за беспечность.

BLAS PÉREZ

A highly accomplished goalscorer, Blas Pérez is one of Panama's finest-ever players.

The veteran striker is set to finally make his FIFA World Cup debut after three previous qualification attempts and he'd love to get a bagful of goals in Russia.

Pérez only needs a small opportunity to hurt opponents.

НАИВЫСШЕЕ ДОСТИЖЕНИЕ НА ЧМ
BEST WORLD CUP PERFORMANCE
Н/У
N/A

СЫГРАНО МАТЧЕЙ НА ЧМ
WORLD CUP FINALS MATCHES PLAYED
0

ЗАБИТО ГОЛОВ НА ЧМ
WORLD CUP FINALS GOALS SCORED
0

ТУНИС - TUNISIA

ТУНИС

TUNISIA

СТАТИСТИКА
ALL-TIME STATS

Наибольшее число игр: Садок Сасси (116)
Лучший бомбардир: Иссам Джемаа (36)
Прозвище: *"орлы Карфагена"*
Наивысший рейтинг FIFA: 19 (февраль 1998)
Самая крупная победа: 8:1 над Тайванем, 18 августа 1960, 8:1 над Джибути, 12 июня 2015

Most caps: Sadok Sassi (116)
Most goals: Issam Jemâa (36)
Nickname: *The Eagles of Carthage*
Highest FIFA ranking: 19th (February 1998)
Biggest win: 8-1 v. Chinese Taipei, 18 August 1960 / v. Djibouti, 12 June 2015

RU **Выигрывавшая в прошлом Кубок африканских наций сборная Туниса на протяжении долгого времени остаётся одной из лучших команд Африки. Теперь она намерена доказать, что достойна считаться и одной из лучших в мире.**

«Орлы Карфагена» не в первый раз участвуют в Чемпионате мира FIFA, прежде они четыре раза квалифицировались на турнир. На этот раз, однако, тунисцы собираются впервые в своей истории преодолеть групповой этап и выйти в плей-офф.

Жребий определил команду в сложную группу, в которой ей будут противостоять Бельгия, Англия и дебютирующая на турнире Панама. Однако, в лице Вахби Хазри, Юссефа Мсакни и Аймена Матлути Тунис располагает талантливыми игроками, и вполне может претендовать на выход из группы.

Если команда пройдёт в 1/8 финала, она в очередной раз впишет своё имя в историю. В 1978 году, обыграв Мексику, Тунис стал первой африканской сборной, одержавшей победу на Чемпионате мира FIFA. Благодаря этой победе в 1982 году Африку на турнире представляли уже две команды.

EN **Former CAF Africa Cup of Nations champions Tunisia are consistently one of the best teams to come out of Africa. Now they will be aiming to prove they can mix it with the world's best.**

The Eagles of Carthage are no strangers to the FIFA World Cup™, having qualified for the tournament on four previous occasions, but this time they will be looking to do something they haven't done before – earn enough points in their group matches to make it to the knockout stages.

Despite being drawn in a tough group with Belgium, England and enthusiastic debutants Panama, Tunisia have talented players like Wahbi Khazri, Youssef Msakni and Aymen Mathlouthi to call upon and will fancy their chances.

If they do make it to the round of 16, it won't be the first time Tunisia have made history. A win against Mexico in 1978 meant they became the first African nation to win a FIFA World Cup™ game, a victory that made it possible for a second African team to take part in the 1982 tournament.

ТУНИС

ЛУЧШИЙ МОМЕНТ НА ЧЕМПИОНАТЕ МИРА FIFA

Победа над Мексикой (3:1) на Чемпионате мира по футболу FIFA 1978вошла в историю, так как Тунис стал первой африканской командой, которая добилась победы на турнире. Результат был подкреплён ничейным результатом с чемпионами мира из ФРГ (0:0).

BEST FIFA WORLD CUP MOMENT

Beating Mexico 3-1 in 1978 made history as Tunisia became the first African team to win a game at a FIFA World Cup™. They backed that result up by drawing 0-0 with reigning champions West Germany in their final group game.

ГЕРОЙ ЧЕМПИОНАТА МИРА FIFA

Мохтар Дуиб забил последний гол в победном матче против Мексики в 1978 году. Что особенно примечательно, Тунис в той встрече пропустил первым, но победил 3:1.

FIFA WORLD CUP HERO

Mokhtar Dhouieb put the icing on the cake of that 3-1 win against Mexico, scoring the final goal to ensure his place in history as Tunisia came from a goal down to win.

ВЫХОД НА ЧЕМПИОНАТ МИРА FIFA
FIFA WORLD CUP CLINCHER

Чтобы получить путёвку на турнир в России, Тунису было необходимо занять первое место в непростой группе. Перед последним матчем, против Ливии, игроки знали, что достаточно добиться ничейного результата. Игра закончилась со счётом 0:0.

Решающее значение в борьбе за поездку на турнир сыграла домашняя победа над Демократической республикой Конго со счётом 2:1, эта команда в итоге всего на очко отстала от тунисцев.

Tunisia topped a tight qualifying group to book their ticket to Russia.

They went into the final group game against Libya knowing a point would be good enough to see them through, and they got it courtesy of a 0-0 draw.

Key to their progress was a 2-1 home win against Congo DR, the team that finished just a point behind them in the group.

ГЛАВНЫЙ ТРЕНЕР
THE COACH

Набиль Маалул

В прошлом Набиль Маалул сам играл за сборную Туниса и провёл за неё в 80-е и 90-е годы 74 матча.

Теперь Маалул руководит командой с тренерской скамейки. На Чемпионате мира по футболу FIFA 2018 он постарается впервые в истории вывести её из группы.

Набиль Маалул впервые возглавил сборную в 2013 году. В 2017 он сменил на этом посту Хенрика Касперчака.

Nabil Maâloul

Nabil Maâloul once starred on the pitch for Tunisia, and now he aims to be a success on the sidelines.

He will be trying to take his country to the knockout stages of a FIFA World Cup™ for the first time, having appeared 74 times as a midfielder for Tunisia in the 1980s and 90s.

He took charge of the national team in 2017, replacing Henryk Kasperczak, having already had a stint as head coach in 2013.

TUNISIA

G ГРУППА GROUP

КЛЮЧЕВОЕ ТРИО / THE KEY THREE

АЙМЕН МАТЛУТИ

33-летний голкипер вот уже десять лет защищает ворота сборной Туниса и считается одним из лучших вратарей Африки.

Большую часть карьеры он провёл, играя за «Этуаль дю Сахель». Одним из сильнейших его качеств специалисты называют игру ногами.

AYMEN MATHLOUTHI

The 33-year-old has spent a decade between the posts for Tunisia and is known to be one of the best goalkeepers in Africa.

He has spent most of his career with his club, Étoile du Sahel, and is famous for his ability with the ball at his feet.

АЛИ МААЛУЛ

Один из ключевых защитников сборной Туниса Али Маалул, выступающий на клубном уровне за «Аль-Ахли», забивает с завидной регулярностью.

Его мастерство в этом компоненте отлично иллюстрирует следующий факт — в сезоне 2015/2016 он забил 16 голов — лучший показатель для защитника в истории чемпионата Туниса.

ALI MAÂLOUL

One of Tunisia's most important defenders, the Al Ahly SC man is particularly noted for his ability to score goals.

This was never better illustrated than in the 2015-16 season when he netted 14 league goals - the best haul ever by a defender in the Tunisian league.

ЮССЕФ МСАКНИ

Скауты клубов всего мира на Чемпионате мира FIFA будут внимательно смотреть, сможет ли нападающий «Аль-Духаиля» проявить свои лучшие качества на крупном турнире.

Мсакни — очень талантливый и результативный игрок, в отборочном турнире он подтвердил это хет-триком в ворота Гвинеи.

YOUSSEF MSAKNI

The eyes of scouts from around the world will be on the Al-Duhail man to see if he can bring his best goalscoring form to the biggest stage of all.

Msakni is an exciting talent who illustrated his potential with a hat-trick against Guinea during the qualifying campaign.

НАИВЫСШЕЕ ДОСТИЖЕНИЕ НА ЧМ
BEST WORLD CUP PERFORMANCE

ГРУППОВОЙ ЭТАП, 1978, 1998, 2002, 2006
GROUP STAGE, 1978, 1998, 2002, 2006

СЫГРАНО МАТЧЕЙ НА ЧМ
WORLD CUP FINALS MATCHES PLAYED

12

ЗАБИТО ГОЛОВ НА ЧМ
WORLD CUP FINALS GOALS SCORED

8

АНГЛИЯ

АНГЛИЯ

ENGLAND

СТАТИСТИКА ALL-TIME STATS

Наибольшее число игр: Питер Шилтон (125)
Лучший бомбардир: Уэйн Руни (53)
Прозвище: *«три льва»*
Наивысший рейтинг FIFA: 3 (август 2012)
Самая крупная победа: 13:0 над Ирландией, 31 июля 1882

Most caps: Peter Shilton (125)
Most goals: Wayne Rooney (53)
Nickname: *The Three Lions*
Highest FIFA ranking: 3rd (August 2012)
Biggest win: 13-0 v. Ireland, 31 July 1882

RU **Англия — один из старейших участников Чемпионатов мира FIFA, но придётся вернуться на много лет назад, чтобы вспомнить последний серьёзный успех «трёх львов» на турнире.**

Прошло уже 52 года с тех пор, как команда Альфа Рэмзи подняла над головой Кубок Жюля Риме. Если не считать полуфинала турнира 1990 года, остальные кампании англичан заканчивались довольно рано.

Хорошая новость состоит в том, что у команды есть отличный шанс вернуться в число лучших команд мира в России. Её наставник Гарет Саутгейт проделал отличную работу. Как минимум, по именам сборная выглядит очень сильной.

Премьер-лига остаётся самой популярной лигой в мире, и лучшие игроки сборной Англии, такие как Харри Кейн и Деле Алли находятся на первых ролях в этом по-своему уникальном турнире.

EN **England are one of the elder statesmen of the FIFA World Cup™ but the country has to flick back many a page in the history books before they get to any serious success for *The Three Lions*.**

It is 52 years since Sir Alf Ramsey's men lifted the Jules Rimet Trophy and the time since then, save for a semi-final showing at the 1990 FIFA World Cup™, has been rather miserable for England's loyal supporters.

The good news for England is that Russia offers them a good opportunity to re-enter football's top tier as manager Gareth Southgate has done a fine job of moulding a squad that, on paper at least, seems very capable indeed.

The Premier League remains the most popular and watched domestic league in the world and England's top players, such as Harry Kane and Dele Alli, are a huge part of the pace, excitement and commitment that makes English football so unique.

ENGLAND

ВЫХОД НА ЧЕМПИОНАТ МИРА FIFA
FIFA WORLD CUP CLINCHER

В отборочной кампании англичане не встретили серьёзного сопротивления, добившись восьми побед в десяти матчах. Путёвку в Россию они гарантировали себе в октябре 2017 года, обыграв Словению на «Уэмбли» (1:0).

Матч получился напряжённым, но гол Харри Кейна в добавленное время принёс «трём львам» желанный результат.

За два года, пока продолжалась квалификационный этап, позиции Англии как команды, сильной в отборочных турнирах, так и не были подвергнуты сомнению.

After cruising through most of their qualifying campaign with eight victories from 10 matches, England secured their passage to Russia with a 1-0 win over Slovenia at Wembley in October 2017.

In a tight and tense game against Slovenia, it took a stoppage-time winner from superstar Harry Kane to finally give the *Three Lions* fans something to cheer about.

There were very few real scares for England as they maintained their historically strong qualifying record.

ГЛАВНЫЙ ТРЕНЕР
THE COACH

Гарет Саутгейт

Вполне вероятно, Гарет Саутгейт сам до сих пор не может поверить, что руководит сборной.

Бывший центральный защитник англичан оказался в центре внимания после того, как Сэм Эллардайс был уволен с поста наставника команды в 2016 году.

Саутгейта отличают спокойствие и хладнокровие, поэтому он идеально подошёл на роль тренера, способного навести порядок. Он отлично с этим справился.

До того, как пересесть в кресло главного тренера «трёх львов», Саутгейт три года возглавлял «Мидлсбро» и ещё три года работал с молодёжной сборной Англии.

Gareth Southgate

Gareth Southgate is currently in a position he must barely be able to believe himself.

The former England central defender was thrust back into the national spotlight following Sam Allardyce's departure as England coach in 2016.

The calm and considered manager was deemed to be the perfect man to steady the England ship and he has done a superb job of ensuring England qualified.

His previous managerial experience came during a three-year spell with Middlesbrough, and three years in charge of England's U-21s.

ЛУЧШИЙ МОМЕНТ НА ЧЕМПИОНАТЕ МИРА FIFA

Варианты исключены. Разумеется, это момент, когда солнечным летним днём в 1966 Бобби Мур поднял Кубок Жюля Риме над головой. В финале в дополнительное время со счётом 4:2 была обыграна сборная ФРГ.

BEST FIFA WORLD CUP MOMENT

There can only be one: on a sun-kissed day at Wembley in 1966, Bobby Moore lifted the Jules Rimet Trophy as England overcame West Germany 4-2 after extra time of a truly compelling final, which eventually swung in the home country's favour.

ГЕРОЙ ЧЕМПИОНАТА МИРА FIFA

В 1966 году Джефф Хёрст вписал своё имя в историю Чемпионатов мира FIFA и футбольный фольклор, став первым и по сей день единственным игроком, оформившим хет-трик в финале Чемпионата мира FIFA.

FIFA WORLD CUP HERO

Sir Geoff Hurst wrote his name into FIFA World Cup™ history books – and folklore – by becoming the first, and to date only, man to score a hat-trick in a FIFA World Cup final back in 1966. He has been a national hero in England ever since.

КЛЮЧЕВОЕ ТРИО / THE KEY THREE

ДЖЕССИ ЛИНГАРД

Атакующий полузащитник может стать одним из открытий Чемпионата мира по футболу FIFA 2018™. 25-летний игрок «Манчестер Юнайтед» подаёт большие надежды.

Лингард любит подключаться к атакам, забивает сам и оказывает поддержку партнёрам. Этот игрок будет очень полезен команде Гарета Саутгейта.

JESSE LINGARD

The attacking midfielder could be one of the real surprise packages at the 2018 FIFA World Cup™ as the 25-year-old Manchester United man is a superbly exciting prospect.

Lingard loves to get forward, he has a very astute eye for goal and his hard-working approach will all be huge assets for Southgate's squad this summer.

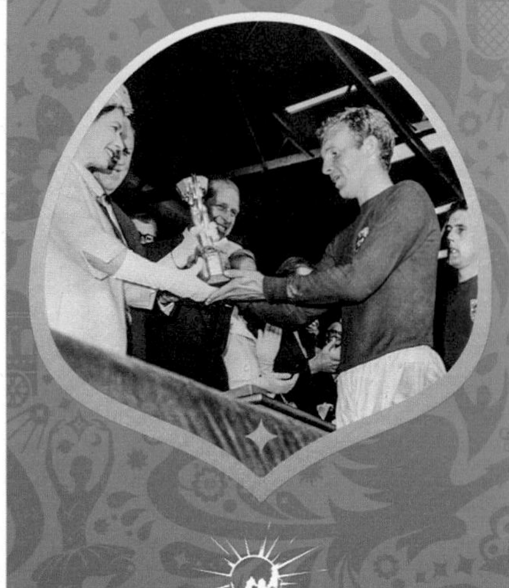

ДЖЕЙМИ ВАРДИ

Стремительный форвард прославился на весь мир в 2016 году, когда его голы помогли «Лестеру» ко всеобщему удивлению одержать победу в Премьер-лиге. «Лисы» выиграли чемпионский титул, хотя за год до этого стояли на вылет.

Варди обладает невероятной скоростью и всегда готов наказать защитников за оплошность.

JAMIE VARDY

The speedy striker became an international icon in 2016 when his goals for Leicester City surprised the Premier League – and the rest of the world – as he fired *The Foxes* to the league title against almost laughably long odds.

He is frighteningly fast and pounces on any scraps opponents leave him.

НАИВЫСШЕЕ ДОСТИЖЕНИЕ НА ЧМ
BEST WORLD CUP PERFORMANCE

ЧЕМПИОН, 1966
WINNERS, 1966

СЫГРАНО МАТЧЕЙ НА ЧМ
WORLD CUP FINALS MATCHES PLAYED

62

ЗАБИТО ГОЛОВ НА ЧМ
WORLD CUP FINALS GOALS SCORED

79

ХАРРИ КЕЙН

Звезда лондонского «Тоттенхэма» на сегодняшний день является одним из сильнейших нападающих мира. Вежливый и скромный за пределами поля на газоне он превращается в зверя, который без устали рыщет по полю, забивая голы.

Кейн одинаково хорошо играет обеими ногами и силён в игре в воздухе, но, что главное, с каждым годом он становится всё лучше и пока не достиг пика.

HARRY KANE

The Tottenham Hotspur man is one of the greatest strikers in world football at present.

His polite, self-effacing manner off the field hides a truly ruthless goalscoring predator on the pitch and he just loves scoring goals.

Equally good with either foot and superb in the air, Kane is the complete package and can get even better.

ПОЛЬША

ПОЛЬША

POLAND

СТАТИСТИКА ALL-TIME STATS

Наибольшее число игр: Михал Жевлаков (102)
Лучший бомбардир: Роберт Левандовский (51)
Прозвище: *«белые орлы»*
Наивысший рейтинг FIFA: 5 (август 2017)
Самая крупная победа: 10:0 над Сан-Марино, 1 апреля 2009

Most caps: Michał Żewłakow (102)
Most goals: Robert Lewandowski (51)
Nickname: *The Eagles*
Highest FIFA ranking: 5th (August 2017)
Biggest win: 10-0 v. San Marino, 1 April 2009

RU **Польша оказалась сеяной в группе H, и те, кто следит за выступлениями «белых орлов» в последнее время, вряд ли будут удивлены тем, что они находятся в числе сильнейших.**

Поляки финишировали первыми в сложной группе, включавшей Данию, Черногорию и Румынию, на пять очков опередив ближайшего конкурента, и много забивали. Форвард Роберт Левандовский не смог отличиться только в одном матче отборочной кампании.

Впервые за последние 12 лет польская команда сыграет на Чемпионате мира FIFA, и её поклонники ждут этого возвращения.

С 1986 года сборная Польши не выходила из группы, тогда она завершила турнир на стадии 1/8 финала. Это ознаменовало конец расцвета команды, которая заняла третье место в 1974 и 1982 годах.

В те годы за неё выступали такие легенды, как Гжегож Лято и Збигнев Бонек, сегодня пришло время новых героев.

EN **Poland are the seeded team in Group H and anyone who has followed the fortunes of *The Eagles* over the last few months won't be too surprised by their elevation to world football's top table.**

They topped a tough qualifying group – which included the likes of Denmark, Montenegro and Romania – by a comfortable five-point margin, scoring goals aplenty with super striker Robert Lewandowski netting in all but one of their group games.

Their performances put them into the FIFA World Cup™ for the first time in 12 years and the Poles have had a chequered past in the tournament.

The last time they reached the knockout stages was in 1986 when they made it to the last 16, but the 1970s and 80s were a strong time for Poland, finishing third in 1974 and 1982.

Those were the days of legends like Grzegorz Lato and Zbigniew Boniek, but now it is time for new heroes to emerge.

POLAND

ВЫХОД НА ЧЕМПИОНАТ МИРА FIFA
FIFA WORLD CUP CLINCHER

Отборочную кампанию поляки начали неважно, в первом матче сыграв вничью с Казахстаном, который в итоге занял последнее место в группе.

Но сборная Польши показала, что это было не более, чем случайностью, и выиграла восемь из остававшихся девяти матчей, забив в них множество голов.

Роберт Левандовский завершил отборочный турнир с 16 голами, став лучшим бомбардиром в европейской группе.

Things didn't get off to the best of starts when Poland kicked off their qualifying campaign as they drew with Kazakhstan, the team that would eventually finish bottom of the group.

One blip aside, the Poles didn't look back from there, scoring goals for fun and winning eight of their remaining nine games.

Robert Lewandowski led the way with 16 goals, making him the top goalscorer in European qualifying.

ГЛАВНЫЙ ТРЕНЕР
THE COACH

Адам Навалка

В польской сборной достаточно высококлассных игроков, но любой хорошей команде требуется руководитель и лидер. Эти задачи выполняет Адам Навалка.

Навалка возглавил сборную Польши в 2013 году, сменив на этом посту Вальдемара Форналика, который не смог решить задачу квалифицироваться на Чемпионат мира по футболу FIFA 2014™.

С тех пор «белые орлы» хорошо выступили на Чемпионате Европы по футболу УЕФА 2016, дойдя до четвертьфинала, а теперь сыграют на Чемпионате мира по футболу FIFA в России.

Прежде чем получить пост тренера сборной Польши, Навалка с успехом работал на клубном уровне.

Adam Nawałka

The Polish squad contains plenty of talented players, but good sides need direction and leadership; that is supplied by Adam Nawałka.

Nawałka has been in charge of the Polish national team since 2013, when he replaced Waldemar Fornalik, who had failed to qualify for the 2014 FIFA World Cup™.

Since then, *The Eagles* have qualified for both UEFA EURO 2016, where they reached the quarter-finals, and the 2018 FIFA World Cup™.

Before taking the top job with his country, Nawałka had a successful club career in his homeland.

ЛУЧШИЙ МОМЕНТ НА ЧЕМПИОНАТЕ МИРА FIFA

На Чемпионате мира по футболу FIFA 1974™ сборной Польши впервые удалось заявить о себе во всеуслышание. Победа над итальянцами со счётом 2:1 на первом групповом этапе позволила команде выйти во второй этап. Затем поляки получили право сыграть в матче за третье место с бразильцами и победили их.

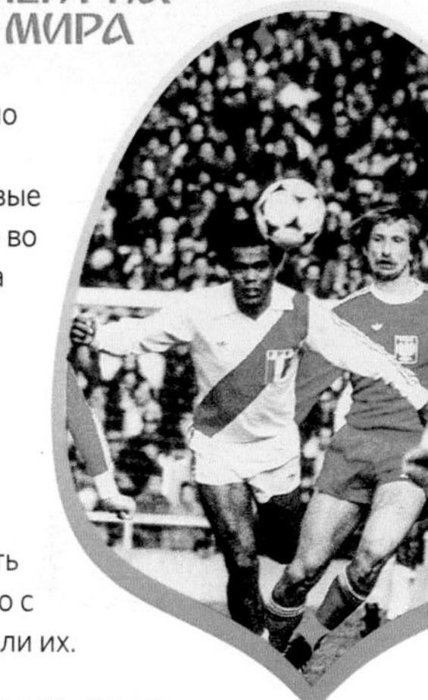

BEST FIFA WORLD CUP MOMENT

The 1974 FIFA World Cup™ was the first time Poland made a real impression on the tournament. A 2-1 win over Italy in the first group phase moved them through to the second group phase where they qualified for the third-place play-off and beat Brazil.

ГЕРОЙ ЧЕМПИОНАТА МИРА FIFA

Гжегож Лято завершил турнир 1974 года в качестве лучшего бомбардира, забив семь голов, в том числе в ворота Аргентины, Югославии и Бразилии.

FIFA WORLD CUP HERO

Grzegorz Lato finished the 1974 tournament as the top goalscorer, netting seven times, including goals against Argentina, Yugoslavia and Brazil.

КЛЮЧЕВОЕ ТРИО / THE KEY THREE

МАЦЕЙ РЫБУС

Левофланговый защитник Мацей Рыбус одинаково хорошо умеет создавать и забивать голы в чужие ворота и участвовать в обороне собственных ворот.

За годы своей карьеры он играл за варшавскую «Легию», грозненский «Терек» и «Лион», а сейчас выступает за московский «Локомотив».

MACIEJ RYBUS

Left-sided defender Maciej Rybus is heading for Russia as a player whose exciting wing-play can help set up and score goals as well as preventing them at the other end.

After a good career back home with Legia Warsaw and Terek Grozny, spells with Lyon and current club Lokomotiv Moscow have helped to move his game to the next level.

ПЁТР ЗЕЛИНЬСКИЙ

Полузащитник Пётр Зелиньский представлял сборные Польши всех возрастов, начиная с команд U-15.

В 2016 году он перешёл в «Наполи» и сходу стал одним из лучших игроков этой команды. Зелиньский с полным правом занимает место в молодой и талантливой польской сборной.

PIOTR ZIELIŃSKI

The midfielder comes into the tournament with a fantastic international pedigree, having represented Poland at every level from the U-15s upwards.

He made a big-money move to Napoli in 2016 and hasn't looked back since, chipping in with goals and establishing himself in a youthful and exciting Poland squad.

РОБЕРТ ЛЕВАНДОВСКИЙ

Лучший бомбардир сборной Польши в истории подходит к турниру на пике карьеры. Роберт Левандовский не раз демонстрировал мастерство, помогая национальной команде.

Этот нападающий одинаково много забивал как в дортмундской «Боруссии», так и в мюнхенской «Баварии». За каждый из клубов он, в среднем, отличался забитым голом чаще, чем раз в два матча.

ROBERT LEWANDOWSKI

Poland's all-time top goalscorer comes into the tournament at the peak of his powers and ready to maintain his electric form.

The striker has scored goals galore for Borussia Dortmund and Bayern Munich and has an average of more than a goal every two games with every club he's been at.

НАИВЫСШЕЕ ДОСТИЖЕНИЕ НА ЧМ
BEST WORLD CUP PERFORMANCE
3-Е МЕСТО, 1974, 1982
THIRD PLACE, 1974, 1982

СЫГРАНО МАТЧЕЙ НА ЧМ
WORLD CUP FINALS MATCHES PLAYED
31

ЗАБИТО ГОЛОВ НА ЧМ
WORLD CUP FINALS GOALS SCORED
44

FIFA FAN FEST
SARANSK
11 Cities
11 Football Parties
Free Live Broadcast
CELEBRATE TOGETHER
#FIFAFanFest
FIFA.com/FanFest

FIFA WORLD CUP
RUSSIA
2018

ГРУППА H
GROUP H

СЕНЕГАЛ

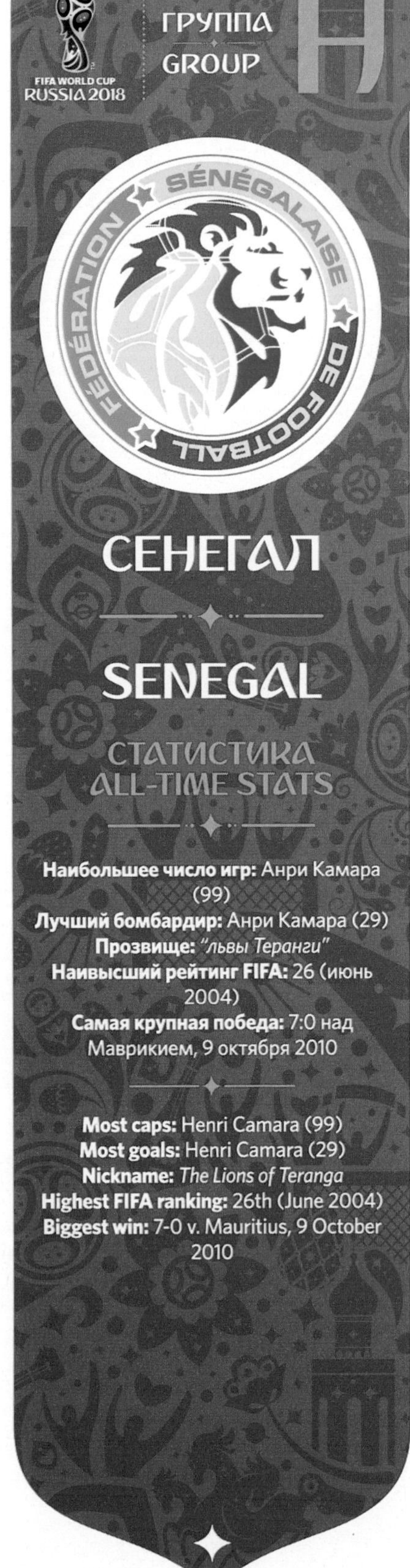

СЕНЕГАЛ

SENEGAL

СТАТИСТИКА
ALL-TIME STATS

Наибольшее число игр: Анри Камара (99)
Лучший бомбардир: Анри Камара (29)
Прозвище: *"львы Теранги"*
Наивысший рейтинг FIFA: 26 (июнь 2004)
Самая крупная победа: 7:0 над Маврикием, 9 октября 2010

Most caps: Henri Camara (99)
Most goals: Henri Camara (29)
Nickname: *The Lions of Teranga*
Highest FIFA ranking: 26th (June 2004)
Biggest win: 7-0 v. Mauritius, 9 October 2010

RU **Эту команду отличает скорость, талант и умение мастерски обращаться с мячом. Так что «львы Теранги» с полным правом будут представлять Африку на Чемпионате мира по футболу FIFA 2018 в России™.**

Команда Алиу Сиссе блестяще выступила в отборочном турнире и добилась желанной путёвки, чтобы впервые за 16 лет снова сыграть на Чемпионате мира FIFA.

Теперь болельщики Сенегала мечтают о том, чтобы их любимцы повторили успех кампании 2002 года, когда на турнире в Японии и Южной Корее в матче открытия они обыграли чемпионов мира из Франции.

В тот раз сенегальцам пришлось остановиться на этапе 1/8 финала, но всё говорит за то, что сегодня они обладают командой, способной снова удивить футбольный мир. Такие имена, как Садио Мане, Диафра Сако, Кейта Бальде и Идрисса Гейе, известны всем.

И если команда Сиссе сможет добиться нужного результата в первом матче Чемпионата мира по футболу FIFA в России, о ней снова будут говорить в превосходных тонах.

EN **With a squad full of pace, intelligence and ability, the *Lions of Teranga* are focusing on being the pride of Africa at the 2018 FIFA World Cup Russia™.**

Aliou Cissé's side did superbly in their qualifying group and emerged victorious to return to a FIFA World Cup™ for the first time in 16 years.

Now Senegal's fans will be dreaming of repeating their brilliant showings from the 2002 FIFA World Cup Korea/Japan™, where they defeated the then-champions France in the tournament's opening match.

A round-of-16 exit ended Senegal's hopes that year but the signs are good that they have a squad capable of once again making waves on football's biggest stage. Names such as Sadio Mané, Diafra Sakho, Keita and Idrissa Gueye are all well-known and widely respected.

And if Cissé's men can find their feet early on at the 2018 FIFA World Cup Russia™, they are capable of being one of the tournament's major talking points again.

SENEGAL

H ГРУППА GROUP

ВЫХОД НА ЧЕМПИОНАТ МИРА FIFA
FIFA WORLD CUP CLINCHER

В отборочной группе D кроме сборной Сенегала выступали Буркина-Фасо, Кабо-Верде и ЮАР. В предпоследнем матче ей требовалось победить «Бафана Бафана», чтобы гарантировать участие в Чемпионате мира FIFA.

Победы в Полокване со счётом 2:0 оказалось достаточно. В начале встречи Диафра Сако открыл счёт, а гол южноафриканцев в свои ворота зафиксировал результат.

Senegal were placed in Group D in qualifying along with Burkina Faso, Cape Verde Islands and South Africa and needed a win in their penultimate game against *Bafana Bafana* to secure their FIFA World Cup place.

A 2-0 victory in Polokwane in November 2017 did the job. Diafro Sakho's goal early on was followed by Thamsanqa Mkhize's own goal as Senegal topped the group.

ГЛАВНЫЙ ТРЕНЕР
THE COACH

Алиу Сиссе

На Чемпионате мира по футболу FIFA 2002 в задачу Алиу Сиссе входило личным примером вести команду за собой — тогда он был её капитаном. Спустя 15 лет его задача помогать игрокам с тренерской скамейки.

Сиссе демонстрировал яркий, атакующий футбол в качестве игрока, того же он ждёт от своих футболистов в качестве тренера. Кроме того, он требует, чтобы игроки выкладывались полностью.

На свой пост Сиссе был назначен после неудачной для Сенегала кампании в Кубке африканских наций 2015 года. До этого он руководил молодёжной сборной страны.

Aliou Cissé

At the 2002 FIFA World Cup Korea/Japan, it was Aliou Cissé's job to lead from the front as Senegal's captain. And now, 16 years on, it is his job to inspire Senegal from the dugout.

Cissé's passionate and direct style of play has translated into a similar management technique and he expects complete endeavour and commitment from his team.

Cissé was appointed after a disappointing Africa Cup of Nations 2015 campaign, having previously been in charge of his country's under-23s.

ЛУЧШИЙ МОМЕНТ НА ЧЕМПИОНАТЕ МИРА FIFA

Что может быть лучше, чем победа над чемпионом в матче открытия Чемпионата мира по футболу FIFA 2002? Результат того матча стал одним из самых неожиданных в истории турнира.

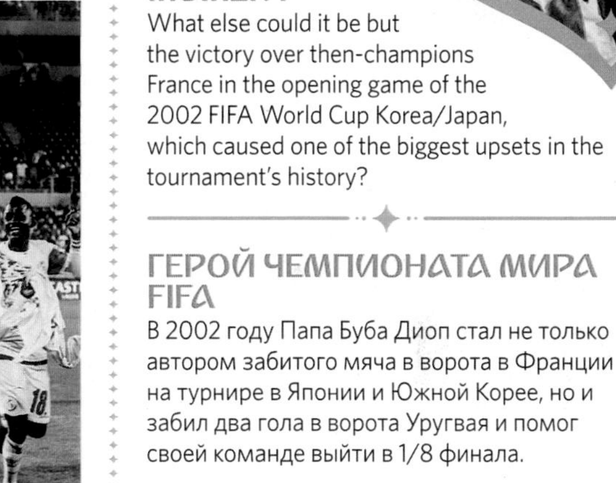

BEST FIFA WORLD CUP MOMENT

What else could it be but the victory over then-champions France in the opening game of the 2002 FIFA World Cup Korea/Japan, which caused one of the biggest upsets in the tournament's history?

ГЕРОЙ ЧЕМПИОНАТА МИРА FIFA

В 2002 году Папа Буба Диоп стал не только автором забитого мяча в ворота в Франции на турнире в Японии и Южной Корее, но и забил два гола в ворота Уругвая и помог своей команде выйти в 1/8 финала.

FIFA WORLD CUP HERO

Papa Bouba Diop was the man who not only beat France with a goal in their famous match at the 2002 FIFA World Cup Korea/Japan, he also scored twice against Uruguay to help seal qualification from Group A.

КЛЮЧЕВОЕ ТРИО / THE KEY THREE

САДИО МАНЕ

Игра звезды «Ливерпуля» Садио Мане за два года, проведённых им на «Энфилде», стала настоящим откровением для болельщиков. Он очень быстр, и это будет проблемой для защитников соперника.

Мане — великолепный форвард, который умеет создавать моменты для партнёров и забивает сам.

SADIO MANÉ

Liverpool star Sadio Mané has been a revelation at Anfield in the past 24 months, and his pace will cause plenty of problems for opposition defenders at the 2018 FIFA World Cup.

Mané is a huge attacking threat who can both create and score goals at will.

ШЕЙХУ КУЯТЕ

Атакующий полузащитник «Вест Хэма» Шейху Куяте выступает за «молотобойцев» с 2014 года. В этом клубе английской Премьер-лиги он играет важнейшую роль.

Ему 28 лет, и сейчас Куяте находится на пике своей карьеры, так что он обязательно блеснёт на Чемпионате мира по футболу FIFA 2018.

CHEIKHOU KOUYATÉ

Attacking midfielder Cheikhou Kouyaté has played at West Ham United since 2014 and has become an experienced and integral member of the Premier League side's squad.

Aged 28, he is in the prime of his career and an exciting 2018 FIFA World Cup Russia™ awaits.

ИДРИССА ГЕЙЕ

Полузащитник Идрисса Гейе рассчитывает продемонстрировать в России свои лучшие качества. Он относится к тому типу футболистов, которые действуют по всему полю.

Хотя он больше сосредоточен на обороне собственных ворот, чем некоторые другие игроки центра поля, нет сомнений, что он очень важен для команды Алиу Сиссе.

IDRISSA GUEYE

All-action Idrissa Gueye is hoping to demonstrate his superb midfield skills in Russia and he is the type of player who covers every blade of grass on the pitch.

Although more defensively minded than some midfielders, he is sure to be a crucial part of Aliou Cissé's plans for the tournament.

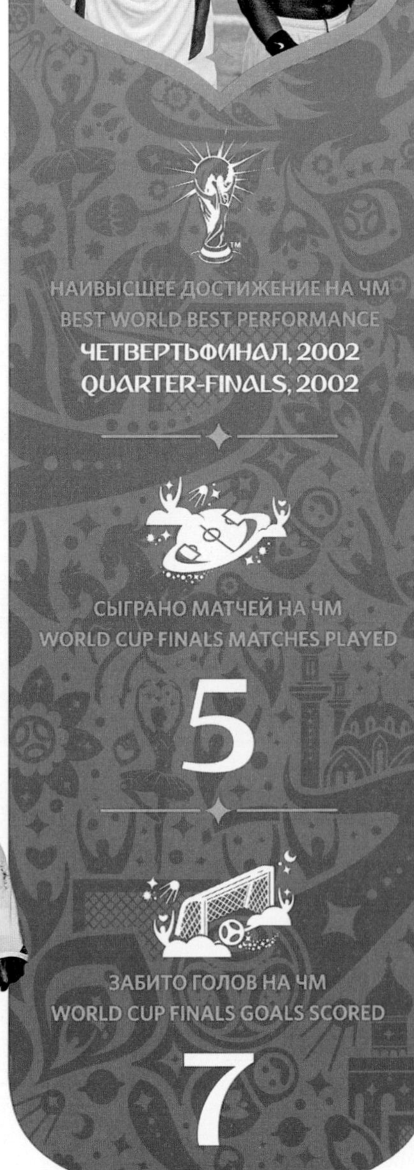

НАИВЫСШЕЕ ДОСТИЖЕНИЕ НА ЧМ
BEST WORLD BEST PERFORMANCE
ЧЕТВЕРТЬФИНАЛ, 2002
QUARTER-FINALS, 2002
СЫГРАНО МАТЧЕЙ НА ЧМ
WORLD CUP FINALS MATCHES PLAYED
5
ЗАБИТО ГОЛОВ НА ЧМ
WORLD CUP FINALS GOALS SCORED
7

КОЛУМБИЯ - COLOMBIA

КОЛУМБИЯ

COLOMBIA

СТАТИСТИКА
ALL-TIME STATS

Наибольшее число игр: Карлос Вальдеррама (111)
Лучший бомбардир: Радамель Фалькао (28)
Прозвище: Los Cafeteros («кофейщики»)
Наивысший рейтинг FIFA: 3 (июль-август 2013, сентябрь 2014 — март 2015, июнь-август 2016)
Самая крупная победа: 6:0 над Бахрейном, 26 марта 2015

Most caps: Carlos Valderrama (111)
Most goals: Radamel Falcao (28)
Nickname: *Los Cafeteros* (The Coffee Growers)
Highest FIFA ranking: 3rd (July-August 2013, September 2014 - March 2015, June-August 2016)
Biggest win: 6-0 v. Bahrain, 26 March 2015

RU **Имена легендарных футболистов, таких как Карлос Вальдеррама, Фредди Ринкон, Фаустино Асприлья и Рене Игита, знакомы не только любителям колумбийского футбола.**

Эти игроки ковали славу команды в 90-е, когда сборная Колумбии переживала расцвет и три раза подряд участвовала в Чемпионатах мира FIFA.

Но, как бы ни были те игроки хороши, они никогда не доходили до четвертьфинала турнира. В отличие от них нынешнее поколение сборной Колумбии смогло добиться этого с первой попытки.

Четыре года назад Хамес Родригес, Карлос Санчес, Хуан Куадрадо и другие игроки, показав красивый футбол, одержали три победы на групповом этапе, обыграли Уругвай в 1/8 финала и с минимальным счётом уступили Бразилии в четвертьфинале.

Родригес с шестью голами стал лучшим бомбардиром турнира, один из его мячей был признан лучшим на Чемпионате мира по футболу FIFA 2014™.

Сможет ли Колумбия повторить и улучшить этот результат в России?

EN **Think of Colombian football and the names of legendary footballers like Carlos Valderrama, Freddy Rincón, Faustino Asprilla and René Higuita automatically come to mind.**

These players largely made their names in the 1990s when Colombia were enjoying a run of qualifying for three consecutive FIFA World Cups.

Great as those players were, none of them enjoyed a quarter-final appearance at a FIFA World Cup™, which is something many of the current crop of Colombian stars have experienced.

Four years ago, James Rodríguez, Carlos Sánchez, Juan Cuadrado and co. delighted the world with their flair, blasted through their group with three wins, overcame South American rivals Uruguay in the round of 16 and narrowly lost out to Brazil in the last eight.

Along the way, Rodríguez topped the goalscoring charts with six strikes, including the goal voted the best at the tournament.

Can Colombia make a similar impact this year? And will a new star emerge?

КОЛУМБИЯ

ЛУЧШИЙ МОМЕНТ НА ЧЕМПИОНАТЕ МИРА FIFA

Хотя результат в том матче не помог Колумбии выйти из группы, на Чемпионате мира по футболу FIFA 1962™ команде удалось отыграться с 1:4 до 4:4 в матче против СССР. Причём один из мячей был забит прямым ударом с углового! Это единственный подобный гол в истории Чемпионатов мира FIFA!

BEST FIFA WORLD CUP MOMENT

The result may not have helped Colombia to get beyond the group stage, but *Los Cafeteros* completed one of the best comebacks in FIFA World Cup history when they recovered from 4-1 down to draw 4-4 with the Soviet Union in 1962 – one of the goals coming from the only direct corner-kick goal in FIFA World Cup history!

ГЕРОЙ ЧЕМПИОНАТА МИРА FIFA

Дольше всех и лучше всех за сборную выступал легендарный Карлос Вальдеррама, который был капитаном команды на трёх Чемпионатах мира FIFA подряд с 1990 по 1998 годы.

FIFA WORLD CUP HERO

For longevity and quality, the easily recognisable Carlos Valderrama is the ultimate Colombian FIFA World Cup hero, having captained the country in three successive tournaments from 1990 until 1998.

ВЫХОД НА ЧЕМПИОНАТ МИРА FIFA
FIFA WORLD CUP CLINCHER

Большую часть отборочной кампании Колумбия занимала место в четвёрке сильнейших, что давало ей право отправиться в Россию, но в итоге едва не упустила путёвку.

За четыре игры до конца квалификации казалось, что «кофейщикам» обеспечено место на турнире, но ни один из оставшихся матчей они не выиграли.

К счастью, ничьей в матче с Перу в последней игре оказалось достаточно, чтобы занять четвёртое место.

Colombia spent much of the South American qualifying campaign in the crucial top four positions but, in the end, just scraped through to the Russian showpiece.

With four games to go, *Los Cafeteros* looked to be cruising through to the finals but they didn't win any of those remaining games.

Luckily, a point against Peru in the final game was enough to clinch fourth spot.

ГЛАВНЫЙ ТРЕНЕР
THE COACH

Хосе Пекерман

В карьере футбольного тренера нередко случается, что сегодня тебя носят на руках, а на завтра ты остаёшься без работы. Но Хосе Пекерману это не грозит.

Он занял свой пост в 2012 году через 14 лет после того, как Колумбия в последний раз появилась на Чемпионате мира FIFA. Сборная мечтала вернуться в элиту.

Пекерману удалось добиться этого с первой попытки. Колумбия сыграла на турнире в Бразилии и выступила лучше, чем от неё ожидали. Теперь она едет в Россию.

Неудивительно, что аргентинец теперь — почётный гражданин Колумбии.

José Pékerman

Football management is a precarious career but few can claim to be in a safer seat than Colombia manager José Pékerman.

He took up his current role in 2012, 14 years after Colombia's previous appearance at a FIFA World Cup, and the country yearned to be back at world football's top table.

He then led them to Brazil four years ago, where Colombia exceeded expectations, and four years later they are at another FIFA World Cup.

Now this popular Argentinian has been given honorary Colombian citizenship.

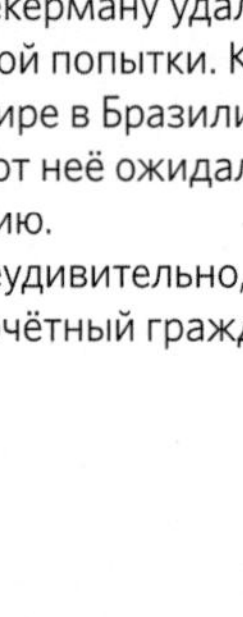

COLOMBIA

H ГРУППА / GROUP

КЛЮЧЕВОЕ ТРИО / THE KEY THREE

ДАВИНСОН САНЧЕС

Хотя Санчесу на начало турнира будет только 22 года, уже сейчас это один из лучших защитников мира.

Атлетичный футболист, способный сыграть на любой позиции в обороне, прошлым летом он перешёл из «Аякса» в «Тоттенхэм» и уже заявил о себе в полный голос в Премьер-лиге.

DAVINSON SÁNCHEZ

He may only turn 22 at the start of the tournament but Davinson Sánchez is already one of the most exciting defenders in world football.

A superb athlete who is able to play right across the back four, he has made a huge impact in the Premier League this season, having been signed by Tottenham Hotspur from Ajax last summer.

КРИСТИАН САПАТА

Жёсткий центральный защитник цементирует оборонительные порядки сборной Колумбии, он одинаково хорош в отборе и воздушных единоборствах.

В составе национальной команды Сапата в 2005 году выиграл чемпионат Южной Америки среди юношей, а за основную сборную играет с 2007 года.

CRISTIÁN ZAPATA

The uncompromising centre-back is a strong presence at the back for Colombia, equally adept at winning aerial duels and making strong tackles.

The AC Milan defender won the South American Youth Championship with his country in 2005 and has played for the full international side since 2007.

ХАМЕС РОДРИГЕС

Этот талантливый форвард привлекает к себе всеобщее внимание. От его выступлений зависит, сможет ли Колумбия повторить достижение четырёхлетней давности.

Родригесу всего 26 лет, но в списке клубов, за которые он выступал, уже такие гранды, как «Порту», «Монако», мадридский «Реал» и «Бавария».

JAMES RODRÍGUEZ

All eyes will be on the skilful attacker to see if he can replicate his outstanding performances from four years ago as he carries his nation's hopes once again.

Aged just 26, he already has a host of top clubs on his CV, including Porto, Monaco, Real Madrid and Bayern Munich.

НАИВЫСШЕЕ ДОСТИЖЕНИЕ НА ЧМ
BEST WORLD CUP PERFORMANCE
ЧЕТВЕРТЬФИНАЛЫ, 2014
QUARTER-FINAL, 2014

СЫГРАНО МАТЧЕЙ НА ЧМ
WORLD CUP FINALS MATCHES PLAYED
18

ЗАБИТО ГОЛОВ НА ЧМ
WORLD CUP FINALS GOALS SCORED
26

ЯПОНИЯ

ЯПОНИЯ

JAPAN

СТАТИСТИКА
ALL-TIME STATS

Наибольшее число игр: Ясухито Эндо (152)
Лучший бомбардир: Кунисигэ Камамото (80)
Прозвище: *"синие самураи"*
Наивысший рейтинг FIFA: 9 (февраль 1998)
Самая крупная победа: 15:0 над Филиппинами, 27 сентября 1967

Most caps: Yasuhito Endō 152
Most goals: Kunishiga Kamamoto 80
Nickname: *Samurai Blue*
Highest FIFA ranking: 9th (February 1998)
Biggest win: 15-0 v. Philippines, 27 September 1967

RU **Чтобы оценить прогресс, который совершил японский футбол, достаточно сказать, что сегодня от сборной Японии ждут, что она будет квалифицироваться на каждый Чемпионат мира FIFA, и это именно то, что она делает с 1998 года.**

Турнир во Франции двадцать лет назад стал дебютным для японской команды на высшем уровне. С тех пор такие игроки, как Дзюнъити Инамото, Синдзи Оно и Хидэтоси Наката доказали, что «синие самураи» способны выступать в сильнейших лигах планеты.

Юто Нагатомо, Мая Ёсида, Макото Хасэбэ, Кэйсукэ Хонда и Синдзи Окадзаки — вот имена лишь некоторых японских звёзд, которые с успехом выступают за пределами Японии, так что эта команда не обделена талантами.

С 2000 года Япония трижды выиграла Кубок Азии, и болельщики команды принимают успехи как должное. Следующий шаг — в третий раз в истории выйти из группы на Чемпионате мира FIFA.

EN **The best way to measure the progress of Japanese football is to recognise that people now expect them to qualify for the FIFA World Cup™ every four years - and since 1998, that is exactly what they have done.**

That tournament in France 20 years ago was the first time Japan had featured at football's biggest event and since then names like Junichi Inamoto, Shinji Ono and Hidetoshi Nakata have proven that the *Samurai Blue* can produce players good enough to play in some of the world's biggest leagues.

These days, players like Yuto Nagatomo, Maya Yoshida, Makoto Hasebe, Keisuke Honda and Shinji Okazaki are just some of the stars that ply their trade around the world and illustrate how packed with talent the Japan squad is.

Having won the AFC Asian Cup three times since the turn of the century, Japan fans are growing accustomed to seeing their team making them proud. Getting beyond the group stages at a FIFA World Cup for the third time would see that progress continue.

JAPAN

H ГРУППА GROUP

ВЫХОД НА ЧЕМПИОНАТ МИРА FIFA
FIFA WORLD CUP CLINCHER

Чтобы квалифицироваться на Чемпионат мира по футболу FIFA 2018™, Японии требовалось финишировать первой или второй в своей отборочной группе. В итоге она стала первой, но лишь на одно очко опередила команды Саудовской Аравии, которая также вышла на турнир, и Австралии, которая квалифицировалась через плей-офф.

Япония выиграла шесть из десяти матчей в отборочной группе, особенно запоминающейся стала победа над Австралией со счётом 2:0 в предпоследней игре.

Needing to finish in the top two of their qualifying group to book their place in Russia, Japan managed to top their group, but they only finished one point clear of Saudi Arabia, who also qualified, and Australia, who had to then progress via a play-off.

Japan won six of their ten qualifying group matches, the highlight being the 2-0 win over Australia in their penultimate match.

ГЛАВНЫЙ ТРЕНЕР
THE COACH

Акира Нисино

Акира Нисино получил известность на родине благодаря успешной работе с «Гамба Осака» в течение девяти лет. Сборную он возглавил весной и столкнулся с дефицитом времени на подготовку.

Японский специалист сменил на этом посту Вахида Халилходжича, уволенного в апреле. Нисино был выбран, так как прекрасно знает сильные и слабые стороны лучших футболистов Японии.

В прошлом Нисино 12 раз надевал футболку национальной команды, а за годы тренерской карьеры успел поработать с юношескими и молодёжными сборными страны.

Akira Nishino

Best known in Japan for his nine-year spell as coach of Gamba Osaka, Akira Nishino has faced a race against time to prepare his team to face the best sides in the world.

Nishino was drafted in to replace Vahid Halilhodžić, who lost his job in April, but was chosen because he already has inside knowledge of the best players Japan has to select from.

The former Japan international represented his nation 12 times as a player and his career in coaching has included recent spells with the country's U-20 and U-23 sides.

ЛУЧШИЙ МОМЕНТ НА ЧЕМПИОНАТЕ МИРА FIFA

14 июня 1998 года 11 игроков японской сборной впервые вышли на поле в Чемпионате мира FIFA. Они храбро сражались, но уступили Аргентине со счётом 0:1. За следующие двадцать лет Япония не пропустила ни одного розыгрыша турнира.

BEST FIFA WORLD CUP MOMENT

On 14 June 1998, 11 Japanese footballers started a match at a FIFA World Cup for the first time ever. They lost 1-0 to Argentina, despite putting up a brave fight. Twenty years on, they have been at every FIFA World Cup since.

ГЕРОЙ ЧЕМПИОНАТА МИРА FIFA

В 2002 году Дзюнъити Инамото принёс Японии первую в истории команды победу на Чемпионате мира FIFA, когда его гола оказалось достаточно, чтобы обыграть Россию со счётом 1:0. В итоге японцы финишировали первыми в группе и вышли в 1/8 финала.

FIFA WORLD CUP HERO

Junichi Inamoto gave Japan their first taste of victory at a FIFA World Cup when his goal clinched a 1-0 win over Russia in 2002. They went on to top their group and reach the round of 16 for the first time.

КЛЮЧЕВОЕ ТРИО / THE KEY THREE

КЭЙСУКЭ ХОНДА

Атакующий полузащитник Кэйсукэ Хонда — один из самых талантливых и опытных игроков японской сборной.

Специалист по точным передачам провёл три сезона в «Милане», а также пять лет отыграл за московский ПФК ЦСКА, так что Россию он знает лучше, чем его партнёры по команде.

KEISUKE HONDA

Exciting attacking midfielder Keisuke Honda is one of the most experienced and talented players in the Japan squad.

A dead-ball specialist, his quality is illustrated by the fact that he spent three years with AC Milan, and his five seasons at PFC CSKA Moscow mean he knows Russia better than most.

НАИВЫСШЕЕ ДОСТИЖЕНИЕ НА ЧМ
BEST WORLD CUP PERFORMANCE
1/8 ФИНАЛА, 2002, 2010
ROUND OF 16, 2002, 2010

СЫГРАНО МАТЧЕЙ НА ЧМ
WORLD CUP FINALS MATCHES PLAYED
17

ЗАБИТО ГОЛОВ НА ЧМ
WORLD CUP FINALS GOALS SCORED
14

ЮТО НАГАТОМО

В прошлом году Юто Нагатомо стал всего седьмым игроком в истории, преодолевшим планку в сто матчей за сборную Японии. Его опыт будет очень полезен команде.

Неуступчивый защитник последние семь сезонов выступает за миланский «Интер» и имеет опыт игры на Чемпионате мира FIFA, приняв участие в двух предыдущих розыгрышах турнира.

YUTO NAGATOMO

Last year saw Yuto Nagatomo become only the seventh Japanese player to reach 100 caps for his country and his experience will be vital.

The tough defender has spent the past seven years with Inter Milan and he was part of the Japan squad at the last two editions of the FIFA World Cup.

СИНДЗИ ОКАДЗАКИ

Немногие игроки забивали за сборную столько, сколько Синдзи Окадзаки.

В 2017 году нападающий «Лестер Сити» забил в отборочном матче против Таиланда (4:0) свой 50-й мяч за национальную команду. В России он постарается улучшить свою статистику.

SHINJI OKAZAKI

Few players in international football have scored as many goals as Shinji Okazaki.

The Leicester City forward chalked up his 50th goal for Japan in a 4-0 FIFA World Cup™ qualifying win against Thailand last year and he's got the ability and appetite to add more in Russia.

ПРАЗДНИК, КОТОРЫЙ ПРОДОЛЖАЕТ РАСТИ

THE GIANT THAT CONTINUES TO GROW

КРАТКАЯ ИСТОРИЯ ВЕЛИЧАЙШЕГО ТУРНИРА В МИРЕ

RU ***«Конгресс постановил организовать в 1930 году турнир, открытый для участия всех команд, представляющих аффилированные Национальные Организации».***

Приведенные выше слова, записанные на Конгрессе FIFA в Амстердаме 28 мая 1928 года, возможно, стали самым значительным и важным событием в истории футбола, ознаменовав рождение Чемпионата мира FIFA.

После того, как стало известно, что на Олимпийских играх в Лос-Анджелесе в 1932 году футбольного турнира не будет, на конгрессе FIFA 1928 года было принято решение организовать отдельное футбольное состязание.

Для участия в турнире 1930 года FIFA пригласила тринадцать сборных, а местом проведения был выбран Уругвай, так как на Олимпиаде 1928 года в Амстердаме именно эта команда завоевала золотую медаль.

Все матчи проходили в столице Уругвая Монтевидео на арене «Сентенарио», задавшей стандарт для стадионов Чемпионата мира. Первый в истории турнир выиграли хозяева.

К 1934 году интерес к турниру значительно вырос, и был добавлен квалификационный этап, по итогам которого были отобраны 16 команд. Чемпионат мира приняла Италия, которая и стала победителем.

Долгие годы в финальном турнире неизменно выступали 16 сборных. Только в 1982 году их число было увеличено до 24 команд.

В 1938 году Италия смогла защитить титул чемпиона мира, на этот раз отпраздновав победу во Франции. Однако бойкот соревнований Уругваем и Аргентиной, недовольных, что первенство вновь проводится в Европе, лишил турнир двух команд из числа сильнейших.

Затем последовал вынужденный перерыв на 12 лет, вызванный началом Второй мировой войны. Следующий турнир состоялся лишь в 1950 году в Бразилии. Хозяева считалась фаворитами, однако, в решающем матче победу праздновал Уругвай. Выиграв у «селесао» со счетом 2:1, эта сборная во второй раз стала чемпионом мира.

Финальный матч проходил на стадионе «Маракана». По некоторым данным, на игре присутствовало свыше 200 тысяч зрителей, и многие считают его рекордным по посещаемости.

В 1954 году трофей выиграла сборная ФРГ, а четыре года спустя Пеле, Гарринча и их партнеры по сборной Бразилии

A SHORT HISTORY OF THE WORLD'S GREATEST TOURNAMENT

EN ***"The Congress decides to organise in 1930 a competition open to the representative teams of all affiliated National Organisations."***

The above words, written at the FIFA Congress in Amsterdam on 28 May 1928, might well be the most important and significant decision ever made in the history of football because it led the way to the FIFA World Cup™.

At the 1928 FIFA Congress, plans were put in place to give football its own competition after it was announced that the 1932 Los Angeles Olympics would no longer accept football on its roster.

Thirteen nations were invited by FIFA to take part in Uruguay in 1930 - a country picked as the host nation because it had won the gold medal at the 1928 Olympics in Amsterdam.

All the games were played in the Uruguayan capital, Montevideo, with the mighty Estadio Centenario setting the stadium standard for the FIFA World Cups to follow. The Uruguayan hosts lifted the trophy.

Финал первого чемпионата мира FIFA состоялся на стадионе «Сентенарио» в Уругвае

The first FIFA World Cup™ final was held at the Estadio Centenario in Uruguay

Англия стала чемпионом мира в 1966 году
England were the winners in 1966

одержали победу на чемпионате мира в Швеции, обыграв в финале хозяев (5:2).

С развитием телевидения интерес к Чемпионату мира FIFA только возрастал. В 1962 году бразильцы добились нового триумфа, утвердившись в роли сильнейшей команды планеты.

В 1966 году Кубок Жюля Риме завоевала сборная Англии. Победу на «Уэмбли» над командой ФРГ (4:2) принес единственный в истории хет-трик в финале Чемпионата мира, оформленный Джеффом Херстом. В 1970 году гений Пеле помог бразильцам стать первой командой, выигравшей турнир трижды.

В 1974 году Чемпионат мира FIFA принимала ФРГ. Немцы выиграли трофей, в финале победив Нидерланды (2:1), а четыре года спустя история повторилась, но теперь хозяйкой турнира, победившей в финале голландцев, была уже Аргентина.

В 1982 году турнир из 24 команд принимала Испания, а победу праздновала Италия с Дино Дзоффом в роли капитана. Первенство 1986 года в Мексике прошло под знаком Диего Марадоны, его Аргентина в финале выиграла у ФРГ 3:2.

Через четыре года немцам удался реванш, и в финальном поединке они обыграли аргентинскую команду со счетом 1:0. В 1994 турнир прошел в США, впервые судьба трофея решалась в серии пенальти. Бразилия оказалась сильнее Италии.

Франция проводила соревнования 1998 года и в шестой раз поддержка трибун помогла завоевать желанный трофей хозяевам – Зинедин Зидан вдохновил «синих» на победу над Бразилией.

Первым в истории Чемпионатом мира, состоявшимся в Азии, стал турнир 2002 года в Японии и Республике Корее. Бразилия сумела забыть об обидном поражении четырехлетней давности и в финале в Йокогаме обыграла Германию со счетом 2:0.

В 2006 году легендарный француз Зинедин Зидан в финале против итальянцев получил красную карточку, и Италия в четвертый раз в истории стала чемпионом, выиграв по пенальти (5:3).

В 2010 году три миллиарда человек по всему миру смотрели матчи Чемпионата мира, впервые прошедшего в Африке, в ЮАР.

By 1934, interest in the tournament had grown substantially, and a qualification stage was added as 16 teams made it through to the finals, hosted in Italy and, for the second consecutive tournament, the hosts were the victors.

Sixteen sides would remain the standard number for competing teams at a FIFA World Cup until it grew to 24 sides at the 1982 FIFA World Cup.

In 1938 Italy retained their FIFA World Cup title on French soil although a boycott of the tournament by Uruguay and Argentina – who were unhappy it was taking place in Europe again – meant two of the stronger world sides were not present.

World War Two and its impact ensured there was then a 12-year gap until the next FIFA World Cup, which was held in Brazil in 1950, and although the hosts were favourites, Uruguay shocked the world when they beat the *Seleção* 2-1 in the deciding match to win their second FIFA World Cup.

The stadium for the final, the awesome Maracanã, is thought to have held over 200,000 for the occasion, widely believed to be the highest-ever attendance at a football match.

West Germany lifted the Official Trophy in 1954 before Pelé, Garrincha and their Brazilian team-mates lit up the 1958 tournament with a 5-2 victory over hosts Sweden in the final.

As technology and television grew in prominence, so too did the success and interest surrounding the FIFA World Cup, and Brazil's victory in 1962 helped cement their reputation as the world's best team.

England lifted the Jules Rimet Trophy in 1966 after beating West Germany 4-2 at Wembley in the final, which saw Geoff Hurst score the only FIFA World Cup final hat-trick to date, before Pelé hit stunning form again in 1970 as Brazil became the first nation to win the FIFA World Cup three times.

West Germany hosted the 1974 FIFA World Cup and beat the

Диего Марадона блистал на Чемпионате мира FIFA 1986
Diego Maradona starred in 1986

Зинедин Зидан и сборная Франции выиграли титул в 1998 году
France's Zinedine Zidane won on home soil in 1998

Сборная Германии была неудержима на полях Бразилии четыре года назад
Germany were brilliant in Brazil four years ago

Сборная Нидерландов стала первой командой в истории, которая трижды играла в финале, но не выиграла трофей. Гол Андреса Иньесты помог Испании присоединиться к клубу чемпионов. Четыре года спустя турнир вернулся в Южную Америку – Чемпионат мира FIFA 2014 приняла Бразилия, а триумфатором стала Германия, в финале обыгравшая Аргентину 1:0.

Чемпионы мира FIFA		FIFA World Cup™ Winners	
1930	Уругвай	1930	Uruguay
1934	Италия	1934	Italy
1938	Италия	1938	Italy
1950	Уругвай	1950	Uruguay
1954	ФРГ	1954	West Germany
1958	Бразилия	1958	Brazil
1962	Бразилия	1962	Brazil
1966	Англия	1966	England
1970	Бразилия	1970	Brazil
1974	ФРГ	1974	West Germany
1978	Аргентина	1978	Argentina
1982	Италия	1982	Italy
1986	Аргентина	1986	Argentina
1990	ФРГ	1990	West Germany
1994	Бразилия	1994	Brazil
1998	Франция	1998	France
2002	Бразилия	2002	Brazil
2006	Италия	2006	Italy
2010	Испания	2010	Spain
2014	Германия	2014	Germany

Netherlands 2-1 in the final, before history repeated itself four years later as Argentina also won the tournament on home soil, with the Netherlands once again the beaten side.

Spain was the location for the expanded 1982 tournament, won by the Dino Zoff-captained Italian side, while the 1986 FIFA World Cup in Mexico belonged to Diego Maradona and Argentina as the magician steered them to a 3-2 victory over West Germany.

The West Germans got their revenge four years later as they beat Argentina in the final of the 1990 FIFA World Cup before the USA hosted the tournament for the first time in 1994, when Brazil beat Italy in a penalty shoot-out final, the first time the final had ever gone to spot kicks.

It was France's turn to hold the tournament four years later and, for an incredible sixth time, a host nation got to celebrate in front of their own fans as Zinédine Zidane inspired *Les Bleus* to a shock victory over heavy favourites Brazil.

In 2002, Asia got in on the FIFA World Cup act as Korea Republic and Japan shared hosting duties and although Brazil had experienced heartbreak four years earlier, that was all forgotten as Germany were beaten 2-0 at the International Stadium in Yokohama.

By 2006, Zinédine Zidane had long confirmed his status as a modern-day footballing great but his sending-off in the final against Italy helped the Italians to a fourth FIFA World Cup success as they won the final 5-3 on penalties.

By 2010, an incredible three billion people across the globe were tuning in to watch the action from South Africa, the first African nation to host a FIFA World Cup.

The Netherlands became the first nation to lose three FIFA World Cup finals without having won one as Andrés Iniesta's goal helped Spain end their long wait for glory before, four years ago, the tournament returned to South American soil as Brazil hosted the 2014 FIFA World Cup, which was won by Germany, who defeated Argentina 1-0 in the final.

Кругом улыбки

Когда в 2010 году в ЮАР Испания впервые выиграла Чемпионат мира по футболу FIFA™, вся страна праздновала. Однако, самое большое ликование было в раздевалке после исторического финала против Нидерландов.

All smiles

When Spain won the FIFA World Cup™ for the first time in 2010 it brought joy to a whole nation. However, nowhere was the elation experienced more acutely than in the dressing room after that historic final against the Netherlands in South Africa.

PUYOL
5
adidas
2010 FIFA WORLD CUP SOUTH AFRICA
CAMPEONES DEL MUNDO
FIFA
In The Memory of
The Ones Alive

2018

ЗНАКОМЬТЕСЬ, ЗАБИВАКА™!

MEET ZABIVAKA™

RU Помимо сильнейших спортсменов мира на Чемпионате мира по футболу FIFA 2018 в России™ будет еще один заметный персонаж. Нет, это не футболист, не киноактер и не телезвезда.

Всеобщее внимание к себе будет привлекать улыбающийся волчонок в красных шортах и бело-синей футболке.

Забивака™ – Официальный Талисман турнира, одетый в форму в цветах российского флага.

Как и все талисманы со времен самого первого, Вилли, появившегося на турнире 1966 года, Забивака™ обязательно понравится всем, особенно детям.

Перед Забивакой, созданным на основе работы российской студентки-дизайнера Екатериной Бочаровой, стоит важнейшая задача – он является лицом Чемпионата мира FIFA 2018. Екатерина отправила свой рисунок на конкурс, даже не надеясь на победу, но в итоге в онлайн-голосовании свыше миллиона российских футбольных болельщиков был выбран именно ее волк.

Как понятно из его имени, Забивака™ «забивает голы», свои голоса за него отдали 53% болельщиков.

«Когда я узнала о конкурсе, я подумала, что это отличная возможность сделать что-то не только для себя, но и для других, – говорит Екатерина Бочарова. – Я решила, что волк станет лучшим Талисманом. Представляю, как увижу его на брелоках для ключей и магнитах на холодильник. Я буду знать, что это я создала его, и это определенно повод для гордости».

EN As well as the world's finest sportsmen, there will also be one other stand-out character at the 2018 FIFA World Cup™. It will not be a footballer, film star or media celebrity though.

No, the character grabbing all the attention will be a wolf wearing red shorts, a blue-and-white T-shirt and sporting a big grin.

Zabivaka™ is the Official Mascot for the tournament and the colours he wears represent the Russian flag.

And, as with every Official Mascot since the first – World Cup Willie in 1966 – Zabivaka™ is sure to be loved, especially by children.

Zabivaka™ got the important job of being the public face of Russia 2018 after being drawn by Russian design student Ekaterina Bocharova. She put her drawing forward never expecting it to win but watched on in delight as Zabivaka™ was chosen by over a million Russian football fans in an online poll.

Zabivaka's name means "the one who scores" in Russian and he picked up 53 per cent of the votes.

"When I found out about the competition, I realised that it was an excellent opportunity to do something not only for myself but for the wider public as well," Bocharova, from Kedrovy in Western Siberia, said. "I decided that a wolf would be perfect for the mascot. I imagine that I will see him on keyrings and on fridge magnets and I will remember that I created him and I will be proud of myself."

RUSSIA 2018

© FIFA TM

SUDDEN CARDIAC ARREST

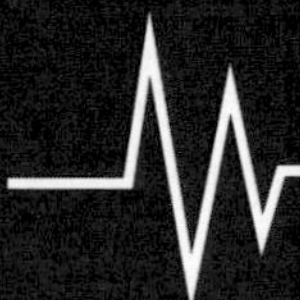

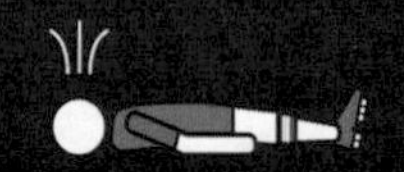

Anyone, anytime, anywhere!

Sudden cardiac arrest (SCA) strikes without warning. The heart suddenly and unexpectedly stops beating. SCA strikes indiscriminately; anyone, even when they appear healthy, can be affected anytime, anywhere.

The first sign

A player collapses on the pitch but there has been no contact with another player

Unresponsive

The player is unconscious and unresponsive

Breathing

Ignore breathing signs, whether normal, abnormal or absent; a player may be suffering an SCA even if they are breathing normally

Seizure

Even if they are showing signs of a seizure, a player may be suffering an SCA

EMERGENCY STEPS

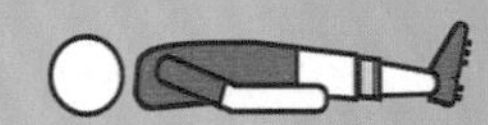

1 Recognise

SCA and the signs as soon as it happens, act fast

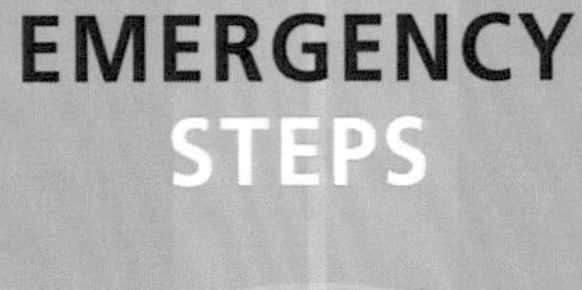

2 Respond

immediately: go to the player, do not wait for the referee's permission to enter the pitch. Responding with AED and defibrillation within two minutes of the collapse can increase the players chances of survival to 100%

3 Establish

whether the player is unconscious and unresponsive

4 Send

someone to call the stadium medical team OR call the ambulance services

5 Resuscitate

by using hands-only chest compressions (CPR) immediately - push on the chest hard and fast

6 Locate

the nearest automated external defibrillator (AED) and follow the instructions. If no AED is available, continue CPR until the emergency medical services arrive

For more information complete the SCA course under sports medicine on the FIFA Medical Network, **fifamedicinediploma.com**

The FIFA Medical Network is a website where you can learn about and engage in football medicine, including preventative techniques. Register now and start building your network to share your knowledge with. You can also complete the free FIFA Diploma in Football Medicine; 42 modules on different football medicine topics, including identifying and preventing SCA.

FIFA

ТРОФЕЙ
THE TROPHY

RU **Когда 15 июля миллиард человек по всей планете прильнёт к экранам телевизоров, чтобы посмотреть финал Чемпионата мира по футболу FIFA 2018™, их будет интересовать одно, кто же станет тем капитаном, который поднимет над головой Кубок Чемпионата мира FIFA.**

Но какова история трофея?

И что делает его таким особенным?

Имеющий всего 36,8 сантиметров в высоту шестикилограммовый Кубок, сделанный из золота, является не только шедевром искусства, но и самым важным и драгоценным трофеем в мировом спорте.

Первый трофей, Кубок Жюля Риме, в 1970 году был передан на вечное хранение Бразилии, первой сборной, которая трижды выиграла Чемпионат мира FIFA.

В результате FIFA пришлось заказать новый трофей. На конкурс было представлено 53 проекта, разработанных мастерами из семи стран. Выбор жюри в итоге пал на работу итальянского скульптора Сильвио Гацаньи. Сделанный из 18-каратного золота трофей помещен на малахитовое основание и изображает двух человек, которые поддерживают земной шар. Прикасаться к официальному трофею имеют право только чемпионы мира и главы государств. Предполагается, что к 2038 году на постаменте не останется места, чтобы добавлять имена новых победителей!

За последние 12 месяцев этот прекрасный Кубок совершил путешествие, преодолев на своём пути невероятные 172,000 километров. Даже если трижды обогнуть земной шар по экватору, получится меньше! По пути на турнир в России он посетил 51 страну и 91 город. Любопытно, что с турнира 1974 года в ФРГ чемпионы поднимают над головой Официальный Кубок, но в качестве награды получают Кубок победителей Чемпионата мира по футболу FIFA.

Оригинал, который после завершения турнира и до начала, следующего прежде хранился в банке в Цюрихе, с 2016 года занял центральное место в экспозиции Музея мирового футбола FIFA. Здесь миллионы людей видят его, которые представляют себе, как поднимают его над своей головой после победы на Чемпионате мира FIFA.

EN **When around a billion people across the world tune into the 2018 FIFA World Cup™ final on 15 July, they will be eagerly waiting to see which captain gets to pick up the FIFA World Cup Trophy.**

Yet just what is the trophy's history?

And what makes it so special?

At just 36.8 centimetres high and made from solid gold, the design masterpiece is undoubtedly the most important and widely recognised piece of silverware in world sport.

The Original Trophy – the Jules Rimet Cup – was awarded permanently to Brazil, the first nation to win three FIFA World Cups, in 1970. As a result, FIFA had to commission a new trophy and after 53 submissions were made by artists from seven different countries, they decided that Italian sculptor Silvio Gazzaniga's design was exactly what they wanted.

Made from 18-carat gold with a malachite base and depicting two people holding up the Earth, the Original Trophy can only be touched or lifted up by former winners or heads of state, and it is thought that by 2038 there will be no more room on the bottom plate to engrave the winning country's name!

Interestingly, since the 1974 finals in West Germany, the champions always lift the Original Trophy but are then given a replica to keep for themselves.

The Original Trophy, which used to be kept in a Zurich bank vault in between tournaments, now resides in the FIFA World Football Museum.

ВИДЕО АССИСТЕНТ РЕФЕРИ (VAR)

КАК СИСТЕМА ВИДЕОПОМОЩИ СУДЬЕ УЛУЧШИТ ИГРУ?

Пересматриваемые Решения:

Три основных (плюс одна административная) ситуации выделены в качестве способных изменить ход игры.

ГОЛЫ

Роль VAR - помочь судье определить, было ли совершено нарушение, означающее, что гол не должен быть засчитан. Так как мяч пересек линию ворот, то игра уже остановлена, поэтому отсутствует прямое воздействие на темп матча.

РЕШЕНИЕ О ПЕНАЛЬТИ

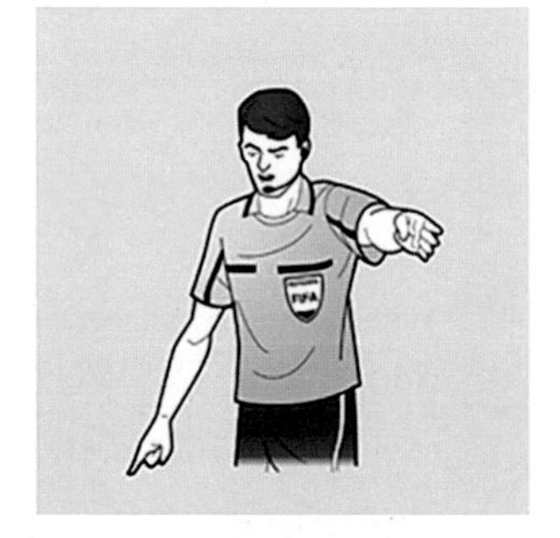

Роль VAR — исключить принятие явно ошибочных решений о назначении или неназначении пенальти.

РЕШЕНИЕ О ПРЯМОЙ КРАСНОЙ КАРТОЧКЕ

Роль VAR — исключить принятие явно ошибочных решений об удалении или неудалении игрока с поля.

ОШИБОЧНАЯ ИДЕНТИФИКАЦИЯ ИГРОКА

Судья выносит предупреждение или удаляет с поля не того игрока, либо не уверен, какого именно игрока следует наказать. Благодаря информации от VAR судья всегда будет знать, к кому из игроков следует применить дисциплинарные санкции.

Подробную информацию о том, как VAR будет использоваться на Чемпионате мира по футболу 2018 в России™, можно найти на сайте: **www.FIFA.com/VAR**.

КАК СИСТЕМА ВИДЕОПОМОЩИ СУДЬЕ (VAR) РАБОТАЕТ?

Шаг 1

Возникновение инцидента
Судья сообщает VAR, либо VAR указывает судье на необходимость проверки решения/ситуации. Арбитры четко проинструктированы о том, когда следует получать информацию от VAR и когда следует использовать просмотр видеоповтора за пределами поля, прежде чем вынести соответствующее решение.

Шаг 2

Анализ видеоповтора и рекомендация от VAR
VAR анализирует видеоповтор и сообщает судье по специальной коммуникационной связи о сути игровой ситуации.

Шаг 3

Вынесение решения или принятие мер
Судья принимает решение посмотреть видеоповтор игровой ситуации за пределами поля, прежде чем принять соответствующие меры/вынести соответствующее решение

или

судья принимает соответствующие меры/выносит соответствующее решение исключительно по информации от VAR.

VIDEO ASSISTANT REFEREE (VAR)

HOW DOES VIDEO ASSISTANT REFEREE IMPROVE THE GAME?

REVIEWABLE DECISIONS:

Three main (plus one administrative) incidents have been identified as game-changing.

GOALS

The role of the VAR is to assist the referee to determine whether there was an infringement that means a goal should not be awarded. As the ball has crossed the line, play is interrupted so there is no direct impact on the game.

PENALTY DECISIONS

The role of the VAR is to ensure that no clearly wrong decisions are made in conjunction with the award or non-award of a penalty kick.

RED CARD INCIDENTS

The role of the VAR is to ensure that no clearly wrong decisions are made in conjunction with sending off or not sending off a player.

MISTAKEN IDENTITY

The referee cautions or sends off the wrong player, or is unsure which player should be sanctioned. The VAR will inform the referee so that the correct player can be disciplined.

Detailed information on how VAR will be used at the 2018 World Cup in Russia™ can be found at: **www.FIFA.com/VAR**.

HOW DOES VIDEO ASSISTANT REFEREE (VAR) WORK?

STEP 1

Incident occurs

The referee informs the VAR, or the VAR recommends to the referee that a decision/incident should be reviewed.
The referees have received clear instructions on when to accept information from the video assistant referee and when to review the video footage on the side of the field of play before taking the appropriate action or decision.

STEP 2

Review and advice by the VAR

The video footage is reviewed by the VAR, who advises the referee via headset what the video shows.

STEP 3

Decision or action is taken

The referee decides to review the video footage on the side of the field of play before taking the appropriate action/decision

or

the referee accepts the information from the VAR and takes the appropriate action/decision.

FIFA

Программа развития FIFA Forward

ФИНАНСИРОВАНИЕ БУДУЩЕГО ФУТБОЛА

ПОСЛЕ УСПЕШНОГО ЗАВЕРШЕНИЯ ПЕРВОГО ЭТАПА ПРОГРАММЫ FIFA FORWARD УПРАВЛЯЮЩИЙ ОРГАН МИРОВОГО ФУТБОЛА ПРЕДПРИНИМАЕТ ШАГИ ДЛЯ ТОГО, ЧТОБЫ ОБЕСПЕЧИТЬ РОСТ ПРОГРАММЫ И ПОДДЕРЖКУ ВСЕМ 211 ВХОДЯЩИХ В НЕГО АССОЦИАЦИЯМ.

RU **С момента запуска программы FIFA Forward в 2016 году ее целью остается создание наилучших условий игры для всех девочек и мальчиков, мужчин и женщин, любящих футбол.**

К концу 2017 года благодаря программе был сделан значительный вклад в глобальное развитие футбола, который сулит многообещающие перспективы как для продолжения самой программы, так и для следующего поколения молодых футболистов.

На первых этапах программы FIFA сосредоточилась на увеличении влияния и эффективности инвестиций в развитие футбола. Объединение разрозненных потоков финансовой,

The FIFA Forward Development Programme

FUNDING FOOTBALL'S FUTURE

AFTER THE SUCCESSFUL FIRST PHASE OF FIFA FORWARD, WORLD FOOTBALL'S GOVERNING BODY IS TAKING STEPS TO ENSURE THE PROGRAMME CONTINUES TO GROW AND SUPPORT THE DEVELOPMENT OF ALL 211 MEMBER ASSOCIATIONS.

EN **Since its launch in 2016, the FIFA Forward Programme has sought to help every football-loving girl and boy, woman and man in the world play the beautiful game in the best possible conditions.**

By the end of 2017, the programme could take pride in having made significant contributions to global football development, which promise much for the future of both the scheme and the next generation of young footballers.

The first phases of the programme saw FIFA focus on improving the impact and efficiency of investments in development. By bringing together various disparate strands of financial, technical and infrastructural support into one single programme, it has enabled investment in worthwhile projects tailored to the specific requirements and challenges of each and

технической и инфраструктурной поддержки в рамках одной программы позволило инвестировать в действительно стоящие проекты в соответствии с конкретными требованиями и задачами каждой из 211 входящих в FIFA национальных ассоциаций.

Так, например, в рамках Программы развития FIFA была оказана финансовая поддержка женскому футболу Исландии. В октябре 2017 года FIFA перечислила 300 000 долларов США, ставших частью общих инвестиций в размере свыше 900 000 долларов США, в женскую команду, целью которой является участие в чемпионате мира FIFA 2019 года среди женщин.

Это уже не первый случай, когда женский футбол Исландии получил поддержку FIFA Forward. В 2016 году инвестиции в размере 158 000 долларов и 202 000 долларов были направлены на поддержку второй и юниорской (U-18) женских сборных соответственно.

В то же время после создания в 2016 году нового подразделения, задачей которого является помощь ассоциациям в планировании и реализации проектов развития, этот отдел получил к концу 2017 года 1554 заявки на финансирование, связанных с программой FIFA Forward. В их числе – 709 заявок на особые проекты, 390 на операционные расходы и 211 на транспортные расходы. Участникам программы к тому моменту уже были перечислены 393 миллиона долларов США. На данный момент в рамках финансирования FIFA Forward были утверждены и проведены платежи на общую сумму 665 миллионов долларов США, направленные на уже реализуемые проекты и мероприятия.

Чтобы обеспечить дальнейший рост и развитие программы FIFA Forward, 200 национальных ассоциаций, а также все конфедерации подписали в 2017 году контракты на согласованные цели, которые действуют до конца текущего цикла, а затем будут обновлены и расширены в цикле 2019-2022.

Кроме того, в 2017 году три независимых аудитора международного уровня выполнили централизованный анализ 73 национальных ассоциаций и четырех конфедераций, с 22 ассоциациями были согласованы корректирующие действия и ограниченное финансирование.

every one of the 211 member associations (MAs).

One such beneficiary of Forward Programme funding in 2017 was Icelandic women's football. In October 2017, a FIFA payment of USD 300,000 formed part of an overall investment of more than USD 900,000 in the women's team and their bid to reach the FIFA Women's World Cup France 2019™.

In fact, it was not the first time FIFA Forward had supported Icelandic women's football; in 2016, respective payments of USD 158,000 and USD 202,000 helped boost the women's B and U-18 national teams.

Meanwhile, following the creation in 2016 of a new sub-division to help MAs plan and deliver sustainable development projects, by the end of 2017, the MA Division had received 1,554 funding applications related to the FIFA Forward Programme. These included 709 applications for tailor-made projects, 390 for operational costs and 211 for travel costs, and USD 393 million had already been released to the programme's subscribers. To date, USD 665 million in Forward funding has been approved and committed to projects and activities already underway.

To ensure that the FIFA Forward Programme continues to grow and develop, 200 member associations – as well as all the confederations – signed contracts of agreed objectives in 2017 which will run until the end of the current cycle, before being renewed and enhanced for the 2019-2022 cycle.

Meanwhile, 2017 also saw three world-class independent auditors conduct central reviews of 73 member associations and four confederations, with remedial measures and the limited release of funds agreed with 22 member associations.

LIVING FOOTBALL

FIFA®

1,554

заявок на финансирование получены департаментом FIFA по работе с ассоциациями

funding applications received by FIFA's MA Division

$665m

миллионов долларов выделены на финансирование

USD funding approved

200

национальных ассоциаций подписали контракт на согласованные цели

member associations signed a contract of agreed objectives

73

ассоциации и четыре конфедерации были проверены тремя независимыми аудиторами

member associations and four confederations reviewed by three independent auditors

FIFA также поддерживает национальные ассоциации в том, чтобы максимально увеличить выгоду от полученных денежных средств по программе FIFA Forward:

Региональные офисы развития FIFA

В 2017 году FIFA открыла девять региональных офисов развития по всему миру, еще один будет открыт в Аддис-Абебе в этом году. Сотрудники региональных офисов помогают национальным ассоциациям определить запросы и цели их проектов FIFA Forward.

Семинары FIFA Forward

Департамент по работе с национальными ассоциациями провел 18 региональных семинаров, основным направлением которых стала программа развития FIFA Forward, а также нужды и цели развития ассоциаций в 2017-2018 годах.

FIFA also supports its member associations in maximising the benefits of the FIFA Forward development funds:

FIFA Regional Development Offices

In 2017, FIFA established nine Regional FIFA Development Offices around the world with another to be completed in Addis Ababa this year. Regional development officers help the MAs to define the development needs and objectives for their Forward projects.

FIFA Forward Workshops

The MA Division delivered 18 regional workshops with a key focus on the FIFA Forward Programme and the MAs' development needs and objectives for 2017-2018.

Централизованный анализ ревизии

Независимые аудиторы, приглашенные FIFA, определяют проблемы в использовании финансовых средств FIFA Forward и/или ошибки в управлении и распоряжении финансами. Централизованный анализ ревизии ставит целью обеспечить полную прозрачность использования финансовых средств по всему миру. В 2017 году департамент по работе с национальными ассоциациями провел четыре региональных семинара по добросовестному управлению финансами и 20 двухсторонних встреч с финансовыми инспекторами ассоциаций-членов.

FIFA Connect

Платформа FIFA Connect — это онлайн-система регистрации и администрирования, разработанная FIFA для футбольных партнеров. Национальным ассоциациям она предоставляется, устанавливается и обслуживается бесплатно. С помощью идентификатора Connect ID они могут присваивать игрокам уникальные глобальные коды, что позволяет исключить случаи двойной регистрации.

Central audit reviews

Independent auditors commissioned by FIFA identify any issues in the use of Forward development funds and/or any failings in financial governance and management. The central audit reviews aim to ensure full transparency in the use of development funds worldwide. In 2017, the MA Division provided four regional financial good governance workshops and 20 bilateral meetings with MA financial officers.

FIFA Connect

The FIFA Connect Platform is an online registration and administration system developed by FIFA for football stakeholders and is delivered, installed and maintained for MAs free of charge. With Connect ID, they can register players with unique global codes to eradicate cases of double registration.

Великолепные бразильцы

В 1970 году в Мексике в решающем матче встречались Бразилия и Италия. В одном из лучших финалов Чемпионата мира FIFA в истории этот сумасшедший удар Жерсона вывел бразильцев вперед (2:1). Пеле и компания отпраздновали победу со счетом 4:1 и стали первой командой, завоевавшей трофей Жюля Риме трижды.

Brilliant Brazilians

In one of the greatest FIFA World Cup™ finals ever, this ferocious strike from Gérson put Brazil 2-1 up against Italy in Mexico in 1970. Pelé and co. went on to win 4-1 to become the first country to claim the Jules Rimet Cup three times.

1

ЧЕМПИОНАТА МИРА ПО ФУТБОЛУ FIFA™ В ЦИФРАХ
NUMBERS GAME

96

Число тренировочных площадок, построенных к турниру, которые останутся для использования молодыми спортсменами после завершения Чемпионата мира FIFA

The number of training sites that have been built for the tournament and for young people to use after Russia 2018 is finished

11

Число розыгрышей Чемпионата мира FIFA, которые проводились в Европе (включая турнир 2018 года)

The number of times – including Russia 2018 – that the FIFA World Cup has been held in Europe

30,000

Число волонтеров, которые будут помогать гостям, болельщикам, игрокам и персоналу на турнире

The number of volunteers who will help visitors, fans, players and staff at the tournament

224

Число голов, забитых сборной Германии на Чемпионатах мира FIFA. Это рекорд среди сборных. На втором месте идет Бразилия с 221 голом

The number of FIFA World Cup goals scored by Germany, the most of any nation. Brazil are not far behind on 221

8

Число сборных, выигрывавших чемпионаты мира FIFA, которые приедут на первенство в России. Только один чемпион не смог пройти квалификацию – сборная Италии

The number of previous winning countries on display at Russia 2018. The only other nation to win a FIFA World Cup, Italy, did not qualify

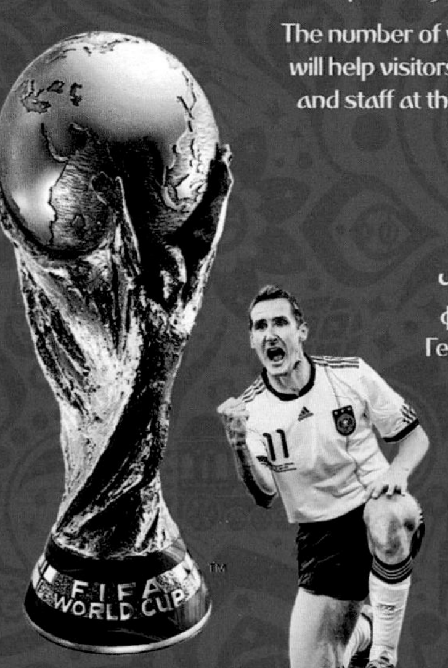

16

Число голов, забитых форвардом сборной Германии Мирославом Клозе на четырех турнирах (2002, 2006, 2010, 2014) – рекорд Чемпионатов мира FIFA

The number of goals scored by Germany's Miroslav Klose, the FIFA World Cup record goalscorer with 16 across four tournaments (2002, 2006, 2010, 2014)

3,000,000

Число зрителей, которые посетят матчи Чемпионата мира FIFA 2018

The number of people who will attend matches at the 2018 FIFA World Cup™

36.8

Высота Кубка Чемпионата мира FIFA – 36,8 см, вес – 6,142 кг и сделан из 18-каратного золота.

The Official Trophy is 36.8cm tall, weighs 6.142kg and is made of 18-carat gold

736

Число игроков, участвующих в турнире

The number of players in the competition

2,764,800

Чемпионат мира FIFA 2018 продлится 32 дня. Это 768 часов или 2 764 800 секунд!

The 2018 FIFA World Cup will run for 32 days, or 768 hours, or 2,764,800 seconds!